W9-BSG-206

Ewka G

Jostein Gaarder

Dziewczyna z Pomarańczami

O teleskopie Hubble'a możesz przeczytać na stronie internetowej **http://hubble.stsci.edu/**

przełożyła
Iwona Zimnicka

Wydawnictwo Jacek Santorski & Co

Tytuł oryginału
Appelsinpiken

Redakcja
Alicja Chylińska

Skład i łamanie
Adam Poczciwek

Projekt okładki
Agnieszka Spyrka

ISBN 83-88875-72-8

Wydawnictwo Jacek Santorski & Co
ul. Alzacka 15a, 03-972 Warszawa
www.jsantorski.pl
e-mail: wydawnictwo@jsantorski.pl
dział sprzedaży: tel. 022 616 29 36, 616 29 28
fax 022 616 12 72
Druk i oprawa: Łódzka Drukarnia Dziełowa S.A.

Mój ojciec zmarł jedenaście lat temu. Miałem wtedy zaledwie cztery lata. Nie przypuszczałem, że kiedykolwiek jeszcze się do mnie odezwie, ale teraz piszemy razem książkę.

Te zdania to początkowe linijki tej opowieści, i to ja je piszę, ale z czasem dopuszczę do głosu ojca. On ma przecież najwięcej do powiedzenia.

Nie jestem pewien, na ile dobrze pamiętam ojca. Najprawdopodobniej jedynie mi się wydaje, że go pamiętam, ponieważ wiele razy oglądałem wszystkie jego zdjęcia.

Właściwie tylko jedną jedyną rzecz z nim związaną zapamiętałem bez żadnej wątpliwości, a wydarzyło się to pewnego wieczora, gdy siedzieliśmy razem na tarasie i patrzyliśmy w gwiazdy.

Na jednym ze zdjęć ojciec i ja usadowiliśmy się na żółtej skórzanej kanapie w salonie. Wygląda to tak, jakby opowiadał mi coś przyjemnego. Ta kanapa ciągle jest u nas w domu, ale ojciec już na niej nie siedzi.

Na innym zdjęciu rozsiedliśmy się w zielonym fotelu bujanym na oszklonej werandzie. Ta fotografia wisi tutaj od śmierci ojca. Siedzę teraz w tym samym zielonym fotelu. Staram się nie huśtać, ponieważ piszę w wielkim zeszycie. Potem przepiszę wszystko do starego peceta ojca.

O tym komputerze też należy co nieco opowiedzieć, ale do tego wrócę później.

Wszystkie te stare zdjęcia zawsze budziły we mnie dziwne uczucia. Należą do zupełnie innego czasu niż ten, który jest teraz.

U siebie w pokoju trzymam album, cały wypełniony fotografiami ojca. Właściwie to prawie straszne, że tyle jest zdjęć człowieka, który już nie żyje. Mamy też ojca na kasetach wideo. Moim zdaniem to trochę przerażające, że można usłyszeć jego tubalny głos.

Być może powinien obowiązywać zakaz oglądania filmów wideo z osobami, które już nie istnieją, albo, jak mówi babcia, matka ojca, których już nie ma wśród nas. Szpiegowanie zmarłych nie wydaje się w porządku.

Na niektórych filmach słychać też mój głos. Jest cienki i piszczący. Przywodzi na myśl ptasie pisklę.

Tak to właśnie wtedy było: mój ojciec mówił basem, a ja dyszkantem.

Na jednym z filmów wideo siedzę u ojca na barana i próbuję ściągnąć gwiazdę z choinki. Mam zaledwie roczek, ale prawie udaje mi się ją zerwać.

Kiedy mama ogląda filmy, na których ojciec jest razem ze mną, czasami pęka ze śmiechu, aż się musi oprzeć, chociaż to ona w owym czasie trzymała kamerę wideo i filmowała. Uważam, że nie powinna się śmiać, kiedy ogląda na filmie mojego ojca. Wydaje mi się, że jemu by się to nie podobało. Być może uznałby to za złamanie zasad.

Na innym filmie ojciec i ja siedzimy w wielkanocnym słońcu przed domkiem w górach, w Fjellstølen, a każdy z nas trzyma połówkę pomarańczy. Ja usiłuję wyssać sok ze swojej połówki bez obierania jej ze skórki. Mój ojciec chyba myśli o całkiem innych pomarańczach, co do tego nie mam teraz wątpliwości.

Właśnie zaraz po tamtej Wielkanocy ojciec zachorował. Chorował ponad pół roku i bał się, że umrze. Moim zdaniem miał świadomość nadchodzącej śmierci.

Mama wiele razy opowiadała mi, że ojcu było szczególnie przykro, bo wiedział, że umrze, zanim zdąży porządnie mnie poznać. Babcia mówiła coś podobnego, tylko w o wiele bardziej tajemniczy sposób.

Babcia, kiedy rozmawia ze mną o ojcu, ma zawsze taki dziwny głos. Może nic w tym nadzwyczajnego. Babcia i dziadek stracili dorosłego syna. Nie wiem, jakie to uczucie. Na szczęście mają jeszcze jednego, który żyje. Ale babcia nigdy się nie śmieje, kiedy ogląda stare zdjęcia ojca. Robi to z wielkim nabożeństwem. To jej własne słowa.

Mój ojciec w pewnym sensie postanowił, że z trzyipółrocznym chłopcem nie da się tak naprawdę rozmawiać. Dzisiaj rozumiem, o co mu chodziło, a czytelnik tej książki też wkrótce to pojmie.

Na jednym ze zdjęć ojciec leży w szpitalnym łóżku. Ma bardzo wychudzoną twarz. Ja siedzę mu na kolanach, a on trzyma mnie za ręce, żebym na niego nie upadł. Próbuje się do mnie uśmiechać. To było zaledwie kilka tygodni przed śmiercią. Żałuję, że zrobiono tę fotografię, ale skoro już tak jest, nie mogę jej po prostu wyrzucić. Nie potrafię nawet jej nie oglądać.

Teraz mam piętnaście lat, a raczej, dokładnie mówiąc, piętnaście lat i trzy tygodnie. Nazywam się Georg Røed i mieszkam na ulicy Humleveien w Oslo razem z mamą, Jørgenem i Miriam. Jørgen to mój nowy tatuś, ale mówię na niego po prostu Jørgen. Miriam to moja młodsza siostra. Ma dopiero półtora roku i jest z całą pewnością za mała na prawdziwe rozmowy.

Oczywiście nie istnieją żadne stare zdjęcia czy filmy wideo, na których byłaby Miriam i mój ojciec. To Jørgen jest ojcem Miriam. Ja jestem jedynym dzieckiem mojego ojca.

Na samym końcu tej książki pojawią się pewne bulwersujące informacje o Jørgenie. Na razie nie można ich ujawnić, ale kto przeczyta do końca, ten się dowie.

Po śmierci ojca przyjechali do nas babcia z dziadkiem i pomagali mamie uporządkować wszystkie jego rzeczy. Istniało jednak coś ważnego, czego żadne z nich nie znalazło. Było to długie opowiadanie, które mój ojciec napisał przed pójściem do szpitala.

Wtedy nikt nie wiedział, że ojciec napisał jakąś opowieść. Historia o „Dziewczynie z Pomarańczami" objawiła się dopiero w ostatni poniedziałek. Babcia dobrała się do składziku z narzędziami i właśnie tam znalazła cały tekst, wetknięty pod podszewkę czerwonego wózka spacerowego, w którym jeździłem, kiedy byłem mały.

W jaki sposób opowiadanie tam trafiło, to niezła zagadka. Nie mogło się to stać zupełnie przypadkiem, gdyż opowieść, którą napisał mój ojciec, kiedy miałem trzy i pół roku, wiązała się w pewien sposób z tą spacerówką. Nie chodzi mi o to, że sama historia to typowa opowieść do wózka spacerowego, bo tak wcale nie jest, ale ojciec całe to długie opowiadanie napisał dla mnie. Napisał historię o „Dziewczynie z Pomarańczami", żebym ją przeczytał, kiedy będę już dostatecznie duży, by ją zrozumieć. Taki list do przyszłości.

Jeśli to rzeczywiście ojciec wsunął kiedyś gruby plik kartek z opowieścią pod podszewkę starej spacerówki, to musiał niezłomnie wierzyć w to, że poczta zawsze dociera do adresata. Przyszło mi do głowy, że na wszelki wypadek dobrze byłoby bardzo dokładnie sprawdzać wszystkie stare rzeczy, zanim odda się je na pchli targ albo po prostu wyrzuci do kontenera. Aż strach pomyśleć, ilu starych listów i podobnych rzeczy można by się dogrzebać na wysypisku śmieci.

Przez ostatnie dni nie daje mi spokoju pewna myśl. Uważam, że powinien istnieć jakiś prostszy sposób wysłania listu do przyszłości niż wsuwanie go pod podszewkę dziecięcego wózka.

Czasami, choć nieczęsto, zdarza się, że chcemy, aby ktoś przeczytał to, co napisaliśmy, dopiero za cztery godziny, za dwa tygodnie albo za czterdzieści lat. Opowieść o „Dziewczynie z Pomarańczami" była właśnie takim listem. Został on napisany do dwunasto- albo czternastoletniego chłopca Georga, czyli do kogoś, kogo mój ojciec jeszcze nie znał, a być może miał nigdy nie poznać.

Teraz jednak trzeba dać tej historii przyzwoity początek.

Niecały tydzień temu wróciłem do domu ze szkoły muzycznej i okazało się, że z niespodziewaną wizytą zjawili się babcia i dziadek. Nagle przyjechali z Tønsberg i mieli zamiar nocować.

Mama i Jørgen też byli w domu i wszyscy czworo wyglądali na niezwykle podekscytowanych, kiedy wszedłem do przedpokoju i zacząłem ściągać buty. Były zabłocone i mokre, ale nikt się tym nie przejął. Czułem, że coś wisi w powietrzu. Wszyscy dorośli mieli myśli zajęte czymś zupełnie innym niż moje brudne buty.

Mama powiedziała, że Miriam już poszła spać, a mnie było to bardzo na rękę, skoro przyjechali babcia z dziadkiem. Przecież nie są babcią i dziadkiem Miriam. Ona ma własnych dziadków ze strony ojca. To również bardzo mili ludzie i czasami do nas zaglądają, ale mówi się przecież, że krew jest gęściejsza od wody.

Wszedłem do salonu i usiadłem na podłodze, a wszyscy zrobili bardzo uroczyste miny, aż pomyślałem, że stało się coś ważnego. Nie mogłem sobie przypomnieć, żebym w ostatnich dniach nabroił w szkole, z lekcji gry na fortepianie wróciłem o właściwej porze, a od dnia, kiedy ostatnio ściągnąłem dziesięciokoronówkę z blatu w kuchni, minęło już kilka miesięcy. Dlatego spytałem: — Czy coś się stało?

Babcia zaczęła opowiadać, że znaleźli list, który mój ojciec napisał do mnie tuż przed śmiercią. Poczułem ssanie w żołądku. Ojciec umarł jedenaście lat temu. Nie byłem nawet pewien, czy go pamiętam. Określenie „list od ojca" zabrzmiało w moich uszach niezwykle uroczyście, prawie jak testament.

Zorientowałem się, że babcia trzyma na kolanach dużą kopertę. Teraz mi ją podała. Koperta była zaklejona, a na wierzchu widniał jedynie napis: „Dla Georga". Nie był to ani charakter pisma babci, ani też mamy czy Jørgena. Rozerwałem kopertę i wyciągnąłem sztywny plik kartek. Wtedy naprawdę się przestraszyłem, bo na samej górze pierwszej strony przeczytałem:

> Siedzisz wygodnie, Georg? Ważne, byś miał przynajmniej o co się oprzeć, bo zamierzam Ci teraz opowiedzieć niezwykle emocjonującą historię...

Zakręciło mi się w głowie. Co to ma znaczyć? List od ojca? Ale czy prawdziwy?

„Siedzisz wygodnie, Georg?". Wydało mi się, że słyszę tubalny głos ojca, i to nie tylko na wideo, usłyszałem teraz jego głos tak, jakby ojciec nagle ożył i siedział z nami w pokoju.

Wprawdzie koperta była zaklejona, ale zanim ją otworzyłem, musiałem spytać, czy dorośli już przeczytali ten długi list, ale wszyscy pokręcili głowami i oświadczyli, że nie czytali nawet jednego zdania.

— Ani słóweczka — zapewnił Jørgen z lekkim zażenowaniem w głosie, co jest bardzo nietypowe jak na tego faceta. Dodał jednak, że może pozwolę im przeczytać list od mojego ojca, kiedy sam już będę miał to za sobą. Wydaje mi się, że był ogromnie ciekaw, co w nim jest. Ogarnęło mnie wrażenie, że Jørgen ma z jakiegoś powodu wyrzuty sumienia.

Babcia wyjaśniła, dlaczego tego dnia po południu wsiedli do samochodu i przyjechali do Oslo. Stało się tak, ponieważ uznała, iż być może rozwiązała pewną dawną zagadkę. Zabrzmiało to tajemniczo i rzeczywiście okazało się tajemnicze.

Kiedy ojciec zachorował, wyznał mamie, że pisze coś do mnie. Chodziło o list, który powinienem przeczytać, jak będę duży. Ale taki list nigdy się nie pojawił, a ja miałem już piętnaście lat.

Nowość polegała na tym, że babcia nagle przypomniała sobie o zupełnie innej sprawie, o której również mówił ojciec. Zażądał mianowicie, żeby nikomu nie przyszło do głowy wyrzucenie czerwonej spacerówki. Babcia była przekonana, że wręcz dosłownie zapamiętała, co jej na ten temat powiedział, gdy leżał w szpitalu. — Chyba nigdy nie pozbędziecie się spacerówki. Bardzo proszę, nie wyrzucajcie jej. Ten wózek tyle znaczył dla mnie i dla Georga przez te miesiące. Chcę, żeby Georg go zatrzymał. Powiedzcie mu to kiedyś. Powiedzcie mu, gdy będzie już dostatecznie dorosły, by zrozumieć, że tak bardzo chciałem go dla niego zachować.

Dlatego właśnie starej spacerówki nigdy nie wyrzucono ani nie oddano na pchli targ. Nawet Jørgen został w tej kwestii poinstruowany. Od samego początku, kiedy tylko wprowadził się na Humleveien, wiedział, że jednej rzeczy nie wolno mu tknąć, a mianowicie czerwonej spacerówki. Miał wobec niej tak wielki respekt, że nalegał na kupienie dla Miriam nowiuteńkiego wózka spacerowego. Może nie w smak była mu myśl, że miałby wozić rodzoną córkę w tym samym wózku, w którym ojciec kiedyś, przed wielu laty, woził mnie. Bardzo możliwe jednak, że chciał po prostu mieć nowy, bardziej nowoczesny wózek. Jørgen doskonale wie, co jest modne, a co nie, i straszny z niego elegant, żeby nie powiedzieć snob.

Była więc mowa o jakimś liście i o wózku spacerowym. Ale babci rozwiązanie tego rebusu zabrało jedenaście lat. Dopiero teraz uświadomiła sobie, że ktoś być może powinien zebrać się na odwagę i iść do składziku z narzędziami, żeby dokładniej zbadać starą spacerówkę. Przypuszczenia babci okazały się najzupełniej słuszne. Wózek był nie tylko wózkiem. Był również skrzynką pocztową.

Nie bardzo wiedziałem, czy wierzyć w całą tę historię. Nigdy nie da się powiedzieć, czy rodzice i dziadkowie mówią prawdę, zwłaszcza gdy chodzi o „delikatne sprawy”, jak chętnie nazywa je babcia.

Dziś największą z zagadek jest dla mnie to, dlaczego nikt nie miał dość oleju w głowie, żeby wtedy, jedenaście lat temu, uruchomić stary komputer ojca. Przecież to na nim napisał list! Oczywiście podjęto wówczas pewne próby, lecz nikomu nie wystarczyło fantazji, by odkryć osobisty kod ojca. Mógł mieć maksimum osiem liter, takie były komputery w tamtych czasach. Ale nawet mamie nie udało się złamać kodu. Niewiarygodne! Wynieśli więc komputer na strych.

Ale do sprawy peceta ojca jeszcze wrócę.

Najwyższy już czas, żeby głos zabrał wreszcie mój ojciec. Ja jednak będę po drodze wplatał swoje komentarze. Poza tym zamierzam napisać posłowie. Jestem do tego zmuszony, bo ojciec w swoim długim liście zadaje mi pewne poważne pytanie. Moja odpowiedź ma dla niego bardzo wielkie znaczenie.

Dostałem butelkę coli i zabrałem cały ten plik kartek do swojego pokoju. Kiedy wyjątkowo zamknąłem drzwi na klucz od wewnątrz, mama zaczęła protestować, ale zrozumiała, że to na nic się nie zda.

Czytanie listu od kogoś, kto już nie żyje, stało się dla mnie takim świętem, że nie mogłem znieść myśli o całej rodzinie kręcącej się wokół mnie. To był przecież mimo wszystko list od mojego rodzonego ojca, nieżyjącego od jedenastu lat. Potrzebowałem spokoju.

Ogarnęło mnie bardzo dziwne uczucie, kiedy stanąłem z długim wydrukiem w rękach, miałem mniej więcej takie wrażenie, jakbym odkrył zupełnie nowy album pełen nieznanych zdjęć, na których jestem razem z ojcem. Na zewnątrz sypał gęsty śnieg. Padać zaczęło, już kiedy wracałem do domu ze szkoły muzycznej. Nie wierzyłem, że śnieg się utrzyma. Był zaledwie początek listopada.

Usiadłem na łóżku i zacząłem czytać.

Siedzisz wygodnie, Georg? Ważne, byś miał przynajmniej o co się oprzeć, bo zamierzam Ci teraz opowiedzieć niezwykle emocjonującą historię. Ale może już zdążyłeś się usadowić na tej żółtej skórzanej kanapie? Oczywiście jeśli nie wymieniliście jej na nową, co ja mogę o tym wiedzieć? Potrafię sobie zresztą równie dobrze wyobrazić, że zasiadłeś w starym fotelu bujanym w zimowym ogrodzie, tym, który zawsze tak lubiłeś. A może siedzisz na tarasie? Nie wiem przecież, jaka jest pora roku. Cóż, może w ogóle już nie mieszkacie na Humleveien?

Co ja mogę wiedzieć?

Nie wiem nic. Kto jest premierem Norwegii? Jak się nazywa sekretarz generalny ONZ? I, posłuchaj, jak się miewa teleskop Hubble'a? Wiesz coś na ten temat? Czy astronomowie dowiedzieli się czegoś więcej o tym, w jaki sposób został zmontowany ten wszechświat?

Wielokrotnie próbowałem posunąć się myślą o kilka lat w przyszłość, ale nigdy nawet się nie zbliżyłem do stworzenia sobie sensownego obrazu Ciebie w świecie, w którym teraz żyjesz. Wiem tylko, kim byłeś. Nie wiem nawet, ile masz lat w chwili, gdy to czytasz. Może dwanaście albo czternaście, a ja, Twój ojciec, dawno już wypadłem z czasu.

Prawdą jest, że już teraz czuję się jak upiór i dech mi zapiera za każdym razem, gdy o tym pomyślę. Zacząłem rozumieć, dlaczego upiory tak często sapią i dyszą jak miech kowalski. To po prostu dlatego, że tak strasznie ciężko im oddychać w czasie innym niż ich własny.

Mamy w życiu nie tylko swoje miejsce. Mamy również wyznaczony czas.

Tak już jest, nie mogę więc postąpić inaczej, niż przyjąć za punkt wyjścia to, co mnie obecnie otacza. Piszę w sierpniu 1990 roku.

Dzisiaj — to znaczy w chwili, gdy to czytasz — z pewnością zapomniałeś o większości naszych wspólnych przeżyć z tych gorących letnich miesięcy, kiedy miałeś trzy i pół roku. Ale dni wciąż jeszcze należą do nas i wciąż przeżywamy razem wiele pięknych chwil.

Zwierzę Ci się z czegoś, o czym ostatnio dużo myślę: z każdym upływającym dniem i z każdym nowym drobiazgiem, jaki wymyślimy, rosną szanse na to, że mnie zapamiętasz. Liczę teraz tygodnie i dni. We wtorek staliśmy wysoko na wieży telewizyjnej w Tryvann, skąd roztaczał się widok na pół królestwa, widać było nawet Szwecję. Mama też to z nami oglądała, wybraliśmy się tam wszyscy troje. Ale czy Ty to pamiętasz?

Czy nie mógłbyś przynajmniej spróbować sobie przypomnieć, Georg? Proszę Cię, tylko spróbuj, bo masz to wszystko gdzieś w sobie, w środku.

Pamiętasz swoją wielką kolejkę BRIO? Codziennie bawisz się nią godzinami. Zerkam na nią teraz. W chwili, kiedy to piszę, tory, lokomotywa i wagoniki leżą rozsypane na podłodze w przedpokoju dokładnie tak, jak je niedawno zostawiłeś. W końcu musiałem Cię od nich po prostu oderwać, żebyśmy się nie spóźnili na zbiórkę w przedszkolu. Ale mam wrażenie, że Twoje małe rączki ciągle dotykają klocków. Nie ośmieliłem się przesunąć nawet jednego kawałka torów.

Pamiętasz komputer, na którym Ty i ja gramy w weekendy w gry komputerowe? Kiedy był nowy, stał na górze w moim gabinecie, ale w zeszłym tygodniu zniosłem go na dół do przedpokoju. Teraz najbardziej chcę przebywać tam, gdzie są wszystkie Twoje rzeczy. Przecież po południu i Ty, i mama też tu jesteście. Poza tym dziadek i babcia ostatnio częściej przyjeżdżają z wizytą niż dawniej. To dobrze.

Pamiętasz zielony rowerek na trzech kółkach? Stoi teraz na wysypanej żwirem dróżce i jest prawie lśniąco nowy. Jeżeli go nie zapomniałeś, to chyba tylko dlatego, że ciągle jest gdzieś w garażu albo w składziku z narzędziami, prawdopodobnie stary i zniszczony. A może skończył na pchlim targu?

A co z czerwoną spacerówką, Georg? No właśnie, co z nią?

Musiałeś zachować w pamięci przynajmniej kilka obrazów ze wszystkich naszych wycieczek dookoła jeziora Sognsvann? Albo ze wszystkich wyjazdów do domku w górach, przecież ostatnio spędziliśmy w Fjellstølen trzy kolejne weekendy. Ale nie śmiem już więcej o to pytać, naprawdę nie mam odwagi, bo być może nie jesteś w stanie przypomnieć sobie nic z tych czasów, które również były moimi czasami. Cóż, musi być, jak jest.

Zapowiedziałem, że przedstawię Ci pewną historię, ale odpowiedniego tonu dla tego listu nie da się znaleźć tak raz-dwa. Pewnie już popełniłem głupstwo, zwracając się do małego chłopaczka, którego, jak mi się wydaje, tak dobrze znam. Ale Ty, kiedy czytasz te linijki, nie jesteś już mały. Przestałeś być maluchem ze złotymi lokami.

Sam widzę, że plotę jak stare ciotki, kiedy przymilają się do małych dzieci. To niemądre, bo przecież staram się dotrzeć do dorosłego Georga, tego, którego nie zdążyłem zobaczyć, z którym nie zdążyłem tak naprawdę porozmawiać.

Patrzę na zegarek. Upłynęła zaledwie godzina, odkąd wróciłem do domu, odprowadziwszy Cię do przedszkola.

Kiedy przechodzimy przez strumień, zawsze chcesz wysiąść z wózka, żeby wrzucić do wody patyczek albo kamyk. Pewnego dnia znalazłeś pustą butelkę po oranżadzie i ją też wrzuciłeś. Nawet nie próbowałem Cię powstrzymywać. Ostatnio pozwalam Ci na więcej. A kiedy docieramy do przedszkola, często pędzisz do swojej sali, jeszcze zanim zdążymy powiedzieć sobie „cześć". Mogłoby się wydawać, że to Ty masz mało czasu, nie ja. To takie dziwne. Starzy ludzie często sprawiają wrażenie, jakby mieli o wiele więcej czasu niż dzieci, przed którymi jest jeszcze całe życie.

Osobiście nie jestem wcale taki stary, żeby było się czym przechwalać, wciąż uważam się za młodego człowieka, a już na pewno za młodego ojca. Mimo wszystko bardzo chciałbym zatrzymać czas. Nie miałbym nic przeciwko temu, aby te dni trwały całą wieczność. Wieczór i noc oczywiście by nadchodziły, ponieważ doba idzie swoim torem, ma swój własny, okrągły rytm, ale następny dzień mógłby się zaczynać dokładnie w tym samym miejscu co poprzedni.

Nie odczuwam już potrzeby przeżywania czegoś więcej niż to, czego do tej pory doświadczyłem. Tak bardzo pragnę jedynie zatrzymać to, co już mam. Ale niestety, Georg, złodzieje grasują. Nieproszeni goście wysysają ze mnie siły życiowe. Powinni się wstydzić.

Odprowadzanie Cię do przedszkola w tych dniach wywołuje we mnie wyjątkowo przyjemne, a jednocześnie niezwykle przygnębiające uczucie. Bo chociaż nie mam jeszcze problemów z poruszaniem się i nawet z pchaniem przed sobą spacerówki, to jednocześnie wiem, że moje ciało jest bardzo chore.

To dobre choroby każą pacjentowi położyć się do łóżka natychmiast. Zła choroba z reguły potrzebuje długiego czasu, zanim w końcu każe ci fiknąć kozła i obali na ziemię na dobre. Może nie pamiętasz, że byłem lekarzem, chociaż mama chyba coś Ci o mnie opowiadała, jestem tego pewien. Wprawdzie zwolniłem się z pracy w przychodni, ale wiem, o czym mówię. Nie zaliczam się do pacjentów, których łatwo oszukać.

Są więc dwa różne czasy w tym naszym rachunku, czy też w tym ostatnim z ostatnich spotkaniu nas dwóch. To trochę takie uczucie, jak gdyby każdy z nas stał na swoim szczycie góry, otulonym mgłą, i próbował dostrzec tego drugiego. Pomiędzy nami leży zaklęta dolina, którą Ty właśnie pozostawiłeś za sobą na ścieżce swego życia, a w której ja nigdy Cię nie zobaczę. Przedpołudnia spędzasz w przedszkolu, a ja wówczas muszę mimo wszystko podjąć próbę odniesienia się zarówno do chwili pisania, jak i do chwili czytania, która, gdy wreszcie nadejdzie ten dzień, należeć będzie wyłącznie do Ciebie.

Musisz wiedzieć, że pisanie listu do osieroconego syna sprawia, że skóra wprost płonie, a zapewne również czytanie tego listu jest trochę bolesne. Ale jesteś już teraz w dużej mierze mężczyzną. Skoro mnie udaje się zapisać te linijki na papierze, ty musisz znieść ich czytanie.

Rozumiesz chyba, że spojrzałem w oczy prawdzie i zdaję sobie sprawę, iż być może już niedługo rozstanę się ze wszystkim, ze słońcem i księżycem, ze wszystkim, co istnieje, lecz przede wszystkim z mamą i z Tobą. Tak wygląda prawda, a jest ona naprawdę bolesna.

Muszę Ci zadać bardzo poważne pytanie, Georg, i właśnie dlatego piszę. Aby jednak móc je zadać, najpierw opowiem Ci ową emocjonującą historię, którą ci obiecałem.

Odkąd się pojawiłeś na świecie, nie mogłem się doczekać chwili, kiedy wreszcie będę mógł Ci opowiedzieć o Dziewczynie z Pomarańczami. Dzisiaj — to znaczy w momencie pisania — jesteś jeszcze za mały, żeby zrozumieć tę historię. Przekażę Ci ją wobec tego w spadku. Będzie leżała w jakimś miejscu i czekała na inny dzień Twojego życia.

Ten dzień właśnie nadszedł.

Doczytawszy do tego miejsca, musiałem oderwać wzrok. Wielokrotnie usiłowałem przypomnieć sobie ojca i teraz znów podjąłem taką próbę. Przecież mnie o to prosił. Ale wszystko, co, jak mi się wydawało, sobie przypominam, pamiętałem z filmów wideo i z albumu ze zdjęciami.

Przypomniałem sobie, że istotnie miałem wielką kolejkę BRIO, kiedy byłem mały, ale to ani trochę mi nie pomogło w przypomnieniu sobie ojca. Zielony rowerek na trzech kółkach wciąż stoi w garażu, mogę go więc równie dobrze pamiętać z dzieciństwa. A czerwony wózek spacerowy zawsze stał w głębi składziku z narzędziami. Nie zdołałem sobie jednak przypomnieć żadnej wycieczki wokół Sognsvann. Nie pamiętałem też, że byłem z ojcem na wieży w Tryvann. Owszem, bywałem na tej wieży wielokrotnie, ale zawsze z mamą i Jørgenem. Raz wybrałem się tam tylko z Jørgenem. Było to jednego z tych dni, kiedy mama leżała w szpitalu po urodzeniu Miriam.

Oczywiście z domku w Fjellstølen mam mnóstwo wspomnień, ale w żadnym z nich nie znalazło się miejsce dla mego ojca. W tych wspomnieniach nie ma nikogo innego oprócz mamy, Jørgena i malutkiej Miriam. Przechowujemy tam starą kronikę i wiele razy czytałem, co ojciec zapisał w niej przed śmiercią. Problem tkwi natomiast w tym, że nie wiem, czy rzeczywiście pamiętam cokolwiek z tego, o czym pisał. To mniej więcej tak samo, jak z tymi filmami wideo i ze zdjęciami. „W Wielką Sobotę Georg i ja zbudowaliśmy rekordowo wielką chatkę ze śniegu ze śnieżnymi latarniami...". Oczywiście czytałem wszystkie te historie, a niektóre z nich umiem na pamięć. Nigdy jednak nie zdołałem sobie przypomnieć, czy rzeczywiście brałem udział w wydarzeniach, o których te historie opowiadały. Miałem zaledwie dwa i pół roku, kiedy razem z ojcem budowaliśmy tę rekordowo wielką chatkę ze śniegu ze śniegowymi latarniami. Mamy też jej zdjęcie, ale jest na nim tak ciemno, że widać tylko latarnie.

Ojciec w tym długim liście, który właśnie zacząłem czytać, pytał mnie jeszcze o coś innego:

I, posłuchaj, jak się miewa teleskop Hubble'a? Wiesz coś na ten temat? Czy astronomowie dowiedzieli się czegoś więcej o tym, w jaki sposób został zmontowany ten wszechświat?

Ciarki przebiegły mi po plecach, kiedy przeczytałem te linijki, bo całkiem niedawno napisałem bardzo obszerną pracę na temat właśnie tego teleskopu kosmicznego, czy też Hubble Space Telescope, jak się on nazywa po angielsku. Koledzy z klasy rozpisywali się o angielskiej piłce nożnej, o Spice Girls albo Roaldzie Dahlu. Ja natomiast poszedłem do biblioteki, wziąłem stamtąd wszystkie możliwe materiały dotyczące teleskopu Hubble'a i całą pracę napisałem właśnie na ten temat. Zaledwie przed kilkoma tygodniami oddałem ją nauczycielowi, a on w zeszycie napisał, że bardzo mu zaimponowało takie „dojrzałe, pełne refleksji i wiedzy podejście do tak trudnego materiału". Nigdy nie czułem się równie dumny jak wówczas, gdy przeczytałem to zdanie. Nauczyciel zatytułował swoją recenzję: „Kwiaty dla astronoma amatora!". Narysował też wspaniały bukiet.

Czyżby mój ojciec był jasnowidzem? A może to przez czysty przypadek spytał mnie, co się dzieje z teleskopem Hubble'a, zaledwie kilka tygodni po tym, jak uporałem się ze swoją pracą?

A jeśli list od ojca nie był prawdziwy? Albo jeśli on ciągle żyje? Znów przeszedł mnie dreszcz.

Siedziałem na łóżku i rozmyślałem. Teleskop Hubble'a został umieszczony na orbicie okołoziemskiej przez prom kosmiczny Discovery 25 kwietnia 1990. Mniej więcej w tym czasie ojciec zachorował, to się stało tuż po feriach wielkanocnych w 1990 roku. Wiedziałem o tym od zawsze. Nie skojarzyłem jedynie, że dokładnie w tym samym czasie na orbicie okołoziemskiej umieszczono teleskop Hubble'a. Być może jednak ojciec dowiedział się o swojej chorobie akurat tego samego dnia, w którym z Cape Canaveral wystrzelono wahadłowiec Discovery z teleskopem Hubble'a na pokładzie. Może stało się to w tej samej godzinie, może w tej samej minucie?

W takim razie potrafiłem świetnie zrozumieć, że mógł być ciekaw, co się dzieje z teleskopem kosmicznym. Prędko bowiem odkryto znaczącą wadę teleskopu — odchylenie kształtu zwierciadła. Mój ojciec nie mógł wiedzieć, że ten błąd został naprawiony przez astronautów z wahadłowca Endeavour w grudniu 1993 roku, bo stało się to niemal dokładnie trzy lata po jego śmierci. Oczywiście nie miał też pojęcia o całym wspaniałym wyposażeniu dodatkowym, które zamontowano w lutym 1997.

Mój ojciec umarł, zanim zdążył się dowiedzieć, że teleskop Hubble'a zrobił najostrzejsze i najlepsze zdjęcia wszechświata ze wszystkich wykonanych do tej pory. Wiele z nich znalazłem w internecie i dołączyłem do swojej pracy cały plik wydruków. Kilka ulubionych zdjęć powiesiłem zresztą w swoim pokoju, na przykład to ostre jak brzytwa zdjęcie olbrzymiej gwiazdy *Eta Carinae*, odległej od naszego Układu Słonecznego o ponad osiem tysięcy lat świetlnych. *Eta Carinae* to jedna z najbardziej masywnych gwiazd Drogi Mlecznej i wkrótce może wybuchnąć jako supernowa, żeby w końcu skurczyć się i zmienić w gwiazdę neutronową albo czarną dziurę. Na innym z moich ulubionych zdjęć widać ogromne słupy gazu i pyłu w *Mgławicy Orła* (znanej też pod nazwą M16). Tu się rodzą nowe gwiazdy!

Dzisiaj wiemy o wszechświecie o wiele więcej, niż wiedzieliśmy w roku 1990, a zawdzięczamy to w dużej mierze właśnie teleskopowi Hubble'a. Teleskop wykonał tysiące fotografii galaktyk i mgławic odległych od Drogi Mlecznej o wiele milionów lat świetlnych. Zrobił poza tym zupełnie niewiarygodne zdjęcia przeszłości wszechświata. Być może stwierdzenie, że da się zrobić zdjęcia przeszłości wszechświata, zabrzmiało trochę tajemniczo, lecz patrzenie weń jest jak spoglądanie w czas przeszły. Światło porusza się mianowicie z prędkością trzystu tysięcy kilometrów na sekundę, a mimo to światło odległych galaktyk potrzebuje miliardów lat, żeby do nas dotrzeć, ponieważ wszechświat jest obłędnie wielki. Teleskop Hubble'a zrobił zdjęcia galaktyk położonych w odległości ponad dwunastu miliardów lat świetlnych, lecz oznacza to również, że zajrzał w historię wszechświata, zobaczył, jak on wyglądał ponad dwanaście miliardów lat świetlnych temu. Szaleństwem się wydaje, gdy się o tym pomyśli, bo wszechświat liczył sobie wtedy mniej niż miliard lat. Teleskop Hubble'a zdołał zajrzeć niemal w czasy Wielkiego Wybuchu, kiedy to powstały czas i przestrzeń. Sporo wiem na ten temat i dlatego o tym piszę. Muszę się tylko pilnować, żeby nie napisać wszystkiego, co wiem. Praca, którą oddałem nauczycielowi, miała czterdzieści siedem stron!

Naprawdę przestraszyło mnie, że ojciec napisał do mnie o teleskopie kosmicznym. Badania nad wszechświatem interesowały mnie od zawsze, a może zdolność oderwania wzroku od tego, co dzieje się na powierzchni naszej planety, jest mniej lub bardziej dziedziczna. Równie dobrze jednak mogłem zdecydować się na pisanie pracy na temat programu Apollo i pierwszych ludzi na Księżycu. Mogłem pisać o galaktykach i czarnych dziurach, bo również o galaktykach i czarnych dziurach sporo wiem, nie wspominając już o galaktykach z czarnymi dziurami. Mogłem pisać o Układzie Słonecznym z jego dziewięcioma planetami i wielkim pasem asteroid między Jowiszem a Marsem. Mogłem też na przykład zająć się wielkimi teleskopami na Hawajach. Zdecydowałem się jednak na pisanie o teleskopie Hubble'a. Jak ojciec mógł się tego domyślić?

O wiele łatwiej zrozumieć, dlaczego wspomniał sekretarza generalnego ONZ. Zrobił to z pewnością jedynie dlatego, że urodziłem się 24 października, czyli w Dzień Narodów Zjednoczonych. Tak czy owak, sekretarz generalny ONZ nazywa się Kofi Annan. A premierem Norwegii jest Kjell Magne Bondevik. Niedawno objął stanowisko po Jensie Stoltenbergu.

Kiedy tak siedziałem i rozmyślałem, do drzwi zapukała mama i spytała, co u mnie słychać. — Nie przeszkadzaj — powiedziałem tylko. Przeczytałem dopiero cztery strony.

Pomyślałem: opowiadaj, tato. Opowiadaj o Dziewczynie z Pomarańczami. Ja tu siedzę. Ten dzień nadszedł. Nadeszła chwila czytania.

Historia o Dziewczynie z Pomarańczami zaczyna się pewnego dnia po południu, kiedy stałem przed Teatrem Narodowym i czekałem na tramwaj. Działo się to w końcu lat siedemdziesiątych, późną jesienią.

Pamiętam, że stałem i rozmyślałem o studiach medycznych, które właśnie rozpocząłem. Dziwnie się czułem, gdy próbowałem sobie wyobrazić, że pewnego dnia zostanę prawdziwym lekarzem i będę przyjmował prawdziwych pacjentów, którzy będą do mnie przychodzić i oddawać swój los w moje ręce. Będę siedział w białym fartuchu przy wielkim biurku i mówił: — Trzeba zrobić badania krwi, pani Johnsen. Albo: — Od dawna panu to dolega?

W końcu tramwaj nadjechał, widziałem go już z daleka, najpierw minął budynek parlamentu, Stortingu, a potem zaczął sunąć w górę Stortingsgate. Później zawsze mnie dręczyło, że nie mogłem sobie przypomnieć, dokąd jechałem. W każdym razie jednak już za chwilę wsiadałem do błyszczącego niebieskiego i zatłoczonego tramwaju jadącego na Frogner.

Od razu zwróciłem uwagę na zabawną dziewczynę, która stała w przejściu, ściskając w rękach wielką papierową torbę po brzegi wypełnioną pięknymi pomarańczami. Miała na sobie stary pomarańczowy anorak. Pamiętam, pomyślałem, że torba, którą dziewczyna do siebie przyciskała, jest taka duża i ciężka, że w każdej chwili może ją upuścić. Wcale jednak nie na torbę z pomarańczami zwróciłem uwagę przede wszystkim, tylko na dziewczynę. Od razu zrozumiałem, że ma w sobie coś szczególnego, coś niezgłębionego, magicznego i czarującego.

Zauważyłem ponadto, że ona również mi się przygląda i jak gdyby wybiera mnie spośród całego tłumu ludzi, którzy wsiedli do tramwaju. Stało się to w ciągu jednej jedynej sekundy, niemalże tak, jakby połączyło nas coś w rodzaju tajemnego sprzysiężenia. Gdy tylko znalazłem się w tramwaju, dziewczyna pochwyciła mnie zdecydowanym spojrzeniem. Być może to ja musiałem pierwszy odwrócić wzrok, to niewykluczone, ponieważ w tamtym czasie byłem nadzwyczaj nieśmiały. A mimo wszystko pamiętam, że podczas tej krótkiej jazdy tramwajem uświadomiłem sobie jasno i wyraźnie, że tej dziewczyny nigdy, przenigdy nie zapomnę. Nie wiedziałem, kim ona jest ani jak się nazywa, lecz od pierwszej chwili zdobyła nade mną wręcz przerażającą władzę.

Była o pół głowy niższa ode mnie, miała długie ciemne włosy i mogła mieć około dziewiętnastu lat, tak jak ja. Dziewczyna podniosła oczy i jak gdyby skinęła mi głową, nie wykonując nią przy tym najdrobniejszego nawet ruchu, uśmiechnęła się jednocześnie, trochę zaczepnie i żartobliwie, prawie tak, jak byśmy już się znali albo — nie waham się tak powiedzieć — jak byśmy kiedyś, dawno, dawno temu, przeżyli razem całe życie, tylko we dwoje. Wydawało mi się, że właśnie taką informację mogę wyczytać w tym piwnym spojrzeniu.

Uśmiech przywołał na jej twarz dołeczki w policzkach, ale wcale nie tylko z tego powodu wydała mi się podobna do wiewiórki. W każdym razie była równie słodka i miła jak to stworzonko. Pomyślałem, że jeżeli naprawdę przeżyliśmy kiedyś razem całe życie, to być może właśnie jako dwie wiewiórki na drzewie, i myśl o tym, czyli o wypełnionym zabawą wiewiórczym życiu razem z tajemniczą Dziewczyną z Pomarańczami, nie była ani trochę nieprzyjemna.

Ale dlaczego uśmiechała się tak chytrze, jakby rzucała mi wyzwanie? Czy naprawdę do mnie się uśmiechała? A może tylko uśmiechnęła się do jakiejś zabawnej myśli, która nagle przyszła jej do głowy i nie miała ze mną nic wspólnego? Albo może dziewczyna śmiała się ze mnie? Również taką możliwość musiałem rozważyć. Nie byłem jednak wcale szczególnie zabawny z wyglądu, uważałem, że wyglądam całkiem przeciętnie; to raczej ona, nie ja, prezentowała się odrobinę komicznie z tą swoją ogromną torbą pomarańczy, przyciskaną do brzucha. Może więc właśnie dlatego się uśmiechała, może śmiała się z siebie. Może miała poczucie autoironii. Nie wszyscy ludzie posiadają tę zdolność.

Nie ośmieliłem się jeszcze raz spojrzeć jej w oczy. Wpatrywałem się jedynie w wielką torbę pomarańczy. Zaraz ją upuści, pomyślałem. To się nie może stać. Ale i tak zaraz upuści.

W tej torbie musiało być co najmniej pięć kilo pomarańczy, a może nawet osiem albo dziesięć.

Tramwaj jechał w górę Drammensveien. Spróbuj go sobie wyobrazić. Szarpie nim i kołysze, tramwaj zatrzymuje się przy ambasadzie amerykańskiej, przystaje na Solli plass, a potem, kiedy ma skręcić we Frognerveien, dzieje się właśnie to, czego obawiałem się przez cały czas. Tramwaj jadący na Frogner nagle niebezpiecznie się przechyla, a przynajmniej takie można odnieść wrażenie, Dziewczyna z Pomarańczami odrobinę się chwieje, a ja w jednym ułamku sekundy uświadamiam sobie, że muszę ratować tę ogromną torbę pomarańczy przed katastrofą. I zaraz... Ach, nie!

Być może właśnie w tym momencie dokonuję błędnej oceny sytuacji, fatalnej w skutkach. W każdym razie wykonuję brzemienny w skutki manewr. Posłuchaj tylko: rezolutnie wyciągam obie ręce i jedną podsuwam pod brązową papierową torbę, a drugą obejmuję mocno w pasie dziewczynę. Jak myślisz, co się teraz dzieje? Dziewczyna w pomarańczowym anoraku oczywiście upuszcza torbę z pomarańczami, albo też może przez mój mocny uścisk torba wysuwa jej się z objęć, niemal tak, jakbym zmusił ją do tego swoją zazdrością i chciał usunąć z drogi. W żałosnym rezultacie moich działań trzydzieści albo czterdzieści pomarańczy wpada ludziom na kolana, toczy się po podłodze, ba, po całym tramwaju. Owszem, popełniłem w życiu wiele głupstw, ale to przechodzi wszystko, idiotyczniej niż w tamtej chwili nigdy w życiu się nie czułem.

Tyle o pomarańczach na tym etapie, niech jeszcze przez kilka sekund toczą się po tramwaju, nie o nich bowiem przede wszystkim opowiada ta tramwajowa historia. Wkrótce dziewczyna obraca się w moją stronę, ale już się nie uśmiecha. Najpierw ma tylko smutną minę, a w każdym razie przez jej twarz przebiega mroczny cień. Nie wiem, co sobie myśli, oczywiście nie mogę tego wiedzieć, ale wygląda tak, jakby w każdej chwili gotowa była wybuchnąć płaczem. Jak gdyby każda pomarańcza miała dla niej szczególne znaczenie, tak, Georg, jak gdyby każda z nich była absolutnie niezastąpiona. Nie trwa to długo, bo już w następnej chwili dziewczyna patrzy na mnie z urazą, dając mi w ten sposób jasno do zrozumienia, że uważa mnie za winnego tego, co się stało. Mam takie uczucie, jakbym zniszczył jej życie, nie wspominając już o swoim własnym. Odbieram to tak, jakbym przekreślił swoją przyszłość.

Powinieneś być przy tym i w moim imieniu ratować sytuację, mógłbyś powiedzieć coś zabawnego, co rozluźniłoby atmosferę. Ale nie miałem wtedy żadnej małej rączki, której mógłbym się przytrzymać, to się zdarzyło na wiele lat przed Twoim urodzeniem.

Ogarnięty głębokim wstydem klękam i na czworakach, wśród gąszczu zabłoconych butów i kozaków, zaczynam zbierać pomarańcze, lecz udaje mi się ocalić zaledwie znikomą ich część. Torba, w której wcześniej leżały, pękła, odkrywam to wkrótce, do niczego więc już się nie przyda.

Przychodzi mi do głowy śmieszna, lecz zarazem gorzka myśl: padłem na kolana przed tą młodą damą, i to dosłownie. Kilkoro pasażerów zaczyna się uśmiechać z rozbawieniem, ale śmieją się tylko ci najbardziej dobroduszni, bo nie brakuje również grymasów irytacji, tramwaj jest przepełniony, a tłok wręcz nieznośny. Stwierdzam, że wszyscy pasażerowie, którzy zauważyli, co się stało, uważają mnie za winnego czegoś, co w rzeczywistości planowane było jako rycerski, bohaterski czyn.

Ostatnią rzeczą, jaką zapamiętałem z tego nieszczęsnego przejazdu tramwajem, jest następujący obrazek: stoję wyprostowany, z objęciami pełnymi pomarańczy, dwie włożyłem też do kieszeni spodni, a w chwili kiedy znów obracam się przodem do dziewczyny w pomarańczowym anoraku, ona patrzy mi w oczy i mówi ostro: — Ty wariacie.

To wyrzut, nie ma co do tego żadnych wątpliwości, dziewczyna jednak wkrótce odzyskuje przynajmniej część dobrego humoru i pyta, na poły ugodowo, a na poły drwiąco: — Czy mogę sobie wziąć jedną pomarańczę?

— Przepraszam — mówię tylko. — Przepraszam!

Tramwaj zatrzymuje się teraz przy cukierni Møllhausena na Frogner, drzwi się otwierają, oszołomiony kiwam głową tej, w moich oczach wręcz nieziemskiej, Dziewczynie z Pomarańczami, a ona w następnym mgnieniu oka po prostu bierze jedną pomarańczę z naręcza, pod którym prawie się uginam, i znika na ulicy z lekkością i rozbawieniem baśniowej wróżki.

Tramwaj znów szarpie i toczy się dalej po Frognerveien.

„Czy mogę sobie wziąć jedną pomarańczę?". Georg! Ale przecież te owoce — część trzymałem w objęciach, dwie miałem w kieszeni, a reszta toczyła się po podłodze tramwaju — to były jej pomarańcze!

Nagle to ja miałem objęcia pełne pomarańczy, które nawet nie należały do mnie. Poczułem się jak zwykły złodziej pomarańczy, kilku pasażerów rzuciło nawet pod moim adresem jakieś uwagi o podobnej wymowie. Nie pamiętam, co wtedy myślałem, ale wymknąłem się z tramwaju na następnym przystanku, to było na Frogner plass.

Wysiadając, miałem w głowie tylko jedną myśl: znaleźć jakieś miejsce, gdzie mógłbym się pozbyć tych wszystkich pomarańczy. Musiałem stąpać ostrożnie, balansując jak tancerz na linie, żeby ich nie upuścić, a mimo to jedna i tak upadła na bruk, a ja oczywiście nie mogłem zaryzykować pochylenia się po nią.

Wkrótce zobaczyłem jakąś panią, pchającą przed sobą dziecięcy wózek, to było przed tym starym sklepem z rybami, wiesz, przed tym na Frogner plass. (Cóż, nie mam pojęcia, czy on jeszcze istnieje). Bardzo powoli zbliżyłem się do pani z wózkiem i kiedy go mijałem, uznałem, że to świetna okazja, i wszystkie pomarańcze, które trzymałem w objęciach, wysypałem na różową niemowlęcą kołderkę, tych dwu z kieszeni pozbyłem się także, wystarczyła mi na to sekunda albo dwie.

Żałuj, że nie widziałeś wyrazu twarzy tej pani, Georg. Czułem, że muszę coś powiedzieć, poprosiłem więc, żeby była taka miła i przyjęła mój podarunek dla dziecka, bo o tej porze, późną jesienią, bardzo ważne jest, aby wszystkie dzieci dostawały odpowiednią dawkę witaminy C. Dodałem jeszcze, że wiem, o czym mówię, ponieważ studiuję medycynę.

Kobieta uznała mnie za bezczelnego, nie ma co do tego żadnych wątpliwości, może nawet pomyślała, że jestem pijany, a już z pewnością nie uwierzyła, że jestem studentem medycyny, ale ja już puściłem się biegiem w dół Frognerveien. W głowie znów miałem tylko jedną myśl: odnaleźć Dziewczynę z Pomarańczami. Musiałem jak najszybciej ją odszukać i wynagrodzić jej to, co zrobiłem.

Nie wiem, na ile dobrze znasz tę część miasta, ale wkrótce zdyszany dotarłem do skrzyżowania Frognerveien, Fredrik Stangs gate, Elisenbergveien i Løvenskioldsgate, gdzie tajemnicza dziewczyna wyskoczyła z tramwaju z jedną marną pomarańczą w ręku. Równie dobrze mógłbym stać na Place de l'Etoile w stolicy Francji, było zbyt wiele dróg, wśród których mogłem wybierać, a Dziewczyna z Pomarańczami zniknęła bez śladu.

Tego popołudnia przez wiele godzin włóczyłem się po Frogner, doszedłem do straży pożarnej na Briskeby i byłem aż przy Klinice Czerwonego Krzyża, a za każdym razem, gdy dostrzegłem coś, co mogło przypominać pomarańczowy anorak, czułem, że serce podskakuje mi w piersi. Niestety ta, której wypatrywałem, jakby zapadła się pod ziemię.

Kilka godzin później przyszło mi do głowy, że młoda dama, wobec której tak nieładnie się zachowałem, siedzi sobie być może spokojnie za jakimś oknem na Elisenbergveien i ukradkiem obserwuje, jak młody student biega zrozpaczony tam i z powrotem niczym otumaniony bohater fantastycznego filmu akcji. Owszem, woli działania mu nie brakuje, lecz absolutnie nie potrafi wpaść na jakikolwiek jej trop. Wygląda to tak, jak gdyby ten odcinek filmu puszczano raz po raz od nowa.

W pewnej chwili w jednym z koszy na śmieci zobaczyłem świeżą skórkę pomarańczy. Wyjąłem ją z kosza i powąchałem, lecz jeśli naprawdę wyrzuciła ją Dziewczyna z Pomarańczami, to i tak był to ostatni pozostawiony przez nią ślad.

Resztę wieczoru rozmyślałem o dziewczynie w pomarańczowym anoraku. Całe swoje życie mieszkałem w Oslo, ale nigdy wcześniej jej nie widziałem, tego byłem pewien. Stąd też moje postanowienie, że uczynię wszystko, co w mej mocy, by znowu ją spotkać. Dziewczyna jak za dotknięciem czarodziejskiej różdżki zdołała odgrodzić mnie od całej reszty świata.

Z głowy nie mogły mi wyjść zwłaszcza pomarańcze. Co zamierzała z nimi zrobić? Czyżby chciała po prostu obierać kolejno jedną po drugiej i zjadać, łódeczka po łódeczce, na przykład na śniadanie albo na lunch? Myśl o tym wprawiła mnie w ogromne wzburzenie. A może jest chora i musi utrzymywać specjalną dietę? Tak, taki pomysł też przyszedł mi do głowy i bardzo mnie zaniepokoił.

Istniało jednak więcej możliwości. Może dziewczyna zamierzała przyrządzić krem pomarańczowy na przyjęcie dla ponad setki gości? Uświadomiwszy to sobie, natychmiast zrobiłem się zazdrosny, bo dlaczego mnie nie zaproszono na tę zabawę? Wbiłem sobie ponadto do głowy, że na przyjęciu może w znaczny sposób zostać zakłócona równowaga płci. Zaproszono ponad dziewięćdziesięciu młodych mężczyzn, a tylko osiem dziewczyn. Wydawało mi się, że wiem dlaczego. Krem pomarańczowy zamierzano mianowicie zaserwować na wielkiej zabawie zorganizowanej na zakończenie semestru w Instytucie Zarządzania, a na tym kierunku prawie nie było studentek.

Usiłowałem odpędzić od siebie tę myśl, była wprost nieznośna, ale zdążyłem jeszcze za prawdziwy skandal w kwestii równouprawnienia uznać fakt, że Instytut Zarządzania nie wprowadził parytetu płci. No cóż, oczywiście nie mogłem ufać własnej fantazji. Może Dziewczyna z Pomarańczami zwyczajnie poszła do domu, do skromnego, wynajętego pokoiku, gdzie zamierzała wycisnąć z pomarańczy kilka litrów soku, który będzie przechowywała w lodówce, ponieważ albo ma alergię na sok z kartonu, wytwarzany z taniego koncentratu z Kalifornii, albo go po prostu nie znosi.

Tak naprawdę żadne z tych rozwiązań nie wydawało mi się prawdopodobne, ani sok, ani krem. Wkrótce jednak przyszedł mi do głowy jeszcze bardziej przekonujący pomysł: Dziewczyna z Pomarańczami miała na sobie anorak, który wkłada się na wyprawę w góry, podobny do tego, jaki nosił Roald Amundsen podczas swoich słynnych ekspedycji polarnych. Zawsze potrafiłem szybko odczytywać znaki, w medycynie nazywa się to diagnozowaniem, a przecież nikt nie chodzi po ulicach Oslo w starym anoraku, jeśli to nie ma żadnego znaczenia, zwłaszcza gdy jednocześnie dźwiga olbrzymią papierową torbę pełną soczystych pomarańczy.

Pomyślałem: to oczywiste, Dziewczyna z Pomarańczami planuje przejść na nartach przez całą Grenlandię, a przynajmniej przez płaskowyż Hardangervidda, w takiej zaś sytuacji nie jest wcale głupotą załadowanie ośmiu albo dziesięciu kilogramów pomarańczy do sań ciągniętych przez psy, w przeciwnym razie istnieje ryzyko, że umrze się na tej lodowej pustyni na szkorbut.

Kolejny raz pozwoliłem się uwieść swojej fantazji, ale czy „anorak" nie jest słowem eskimoskim? To oczywiste, że dziewczyna wybiera się na Grenlandię. Lecz co teraz będzie z jej grenlandzką ekspedycją? Nie ma przecież pewności, że tajemniczej dziewczynie starczy pieniędzy na zakup nowej porcji pomarańczy, o mało się przecież nie rozpłakała, kiedy upuściła cały ten wielki zapas. I już wbiłem sobie do głowy, że na pewno jest bardzo biedna.

Na tym jednak możliwości się nie wyczerpały. Musiałem pójść po rozum do głowy i to przyznać. Może Dziewczyna z Pomarańczami ma wielką rodzinę? Tak, dlaczego nie, bo kto przyjąłby za pewnik, że pracuje jako pomoc pielęgniarska i mieszka sama w małym wynajętym mieszkanku vis-à-vis Kliniki Czerwonego Krzyża? Może właśnie ma bardzo dużą, uwielbiającą pomarańcze rodzinę? Tej rodzinie chętnie złożyłbym wizytę, Georg. Już sobie wyobrażałem ludzi zgromadzonych wokół wielkiego stołu w jednym z tych ogromnych mieszkań na Frogner, z wysokimi przestrzennymi pokojami i gipsowymi stiukami na suficie. Rodzina, oprócz matki i ojca, składała się z siedmiorga dzieci — czterech sióstr i dwóch braci, no i oczywiście z samej Dziewczyny z Pomarańczami. To ona była najstarsza z rodzeństwa, to ona była kochającą i troskliwą starszą siostrą. Te cechy mogły jej się w nadchodzącym czasie bardzo przydać, bo być może upłynie wiele dni, zanim młodsze rodzeństwo weźmie do szkoły pomarańczę na drugie śniadanie.

Albo — tej myśli towarzyszył zimny dreszcz, przenikający ciało — sama była matką w maleńkiej rodzinie, składającej się z niej samej, strasznie fajnego męża, który akurat ukończył studia w Instytucie Zarządzania, i maleńkiej córeczki, cztero- albo pięciomiesięcznej. Z jakiegoś powodu uznałem, że dziewczynka ma na imię Ranveig.

Również taką możliwość musiałem rozważyć, to było konieczne. Nie miałem bowiem żadnej pewności, że przy sklepie z rybami i dziczyzną wózek z niemowlęciem pod różową kołderką pchała osobiście mama tego dziecka. Ta pani mogła być opiekunką, zatrudnioną przez Dziewczynę z Pomarańczami. Świadomość tego boleśnie mnie zapiekła. Chociaż w takim układzie przynajmniej część pomarańczy wróciłaby do tej młodej damy o spojrzeniu wiewiórki. Świat w jednej chwili zrobił się taki mały i w każdym drobiazgu krył się jakiś sens.

Zawsze posiadałem szczególną zdolność dodawania dwóch do dwóch, odczytywania znaków czy też tego, co my, lekarze, określamy diagnozowaniem. Powinienem chyba też dodać, że kiedy zrozumiałem, że jestem chory, sam sobie postawiłem diagnozę. Jestem z tego trochę dumny. Poszedłem po prostu do kolegi i powiedziałem mu, co mi dolega. On zajął się resztą. A potem...

Cóż, Georg. W tym miejscu muszę zrobić krótką przerwę w pisaniu.

Być może dziwi Cię, że jestem w stanie tak wesoło pisać o tym, co się wydarzyło tamtego dnia po południu przed wielu laty. Ale ja zapamiętałem to jako wesołą historię, niemalże jak niemy film, i chciałbym, żebyś Ty również ją tak odbierał. Nie znaczy to wcale, że w chwili, gdy to piszę, jest mi szczególnie lekko na duchu. Prawdą jest, że czuję się całkowicie bezradny, a raczej, żeby być bardziej szczerym, całkowicie niepocieszony. Nie ukrywam tego, ale Ty o tym nie myśl. Nigdy nie zobaczysz, jak płaczę, tak postanowiłem i udaje mi się nad sobą panować.

Mama już niedługo wróci z pracy, a my dwaj jesteśmy w domu sami. Ty siedzisz w tej chwili na podłodze, rysujesz coś kredkami i nie możesz mnie pocieszyć. A może jednak mimo wszystko potrafisz? Gdy pewnego dnia, za wiele lat, będziesz czytać ten list od człowieka, który kiedyś był Twoim ojcem, być może poślesz mu jakąś myśl na pocieszenie. Już mi się od niej robi cieplej na sercu.

Czas, Georg. Czym jest czas?

Podniosłem wzrok na zdjęcie Supernowej 1987A. Wykonał je teleskop Hubble'a mniej więcej w tym czasie, kiedy ojciec zrozumiał, że jest chory.

Oczywiście było mi go żal. Ale nie miałem całkowitej pewności, czy uważam za słuszne, że złożył na moje barki ciężar swego smutku. Przecież bez względu na wszystko nie mogłem już nic dla niego zrobić. Żył w innym czasie niż teraźniejszy, a ja musiałem żyć na własny rachunek. Gdyby wszyscy ludzie zatonęli w listach od zmarłych ojców i dziadków, nie bylibyśmy w stanie przeżyć własnego życia.

Poczułem, że w oczach zakręciły mi się łzy. Nie były to słodkie łzy, jeśli, rzecz jasna, w ogóle istnieje coś, co można tak nazwać, jedynie gorzkie, gęste łzy, które nie chciały popłynąć, tylko zatrzymały się w kącikach oczu i piekły.

Przypomniały mi się wszystkie te dni, kiedy razem z mamą chodziliśmy na cmentarz pielęgnować grób ojca. Po przeczytaniu ostatnich akapitów postanowiłem, że nigdy więcej nie wezmę w tym udziału. A w każdym razie nigdy sam nie pójdę na cmentarz. Nigdy.

Dorastanie bez ojca niekoniecznie musi być takie trudne. Naprawdę paskudnie robi się dopiero wtedy, gdy zmarły ojciec zaczyna nagle przemawiać zza grobu. Chyba byłoby lepiej, żeby zostawił syna w spokoju. Sam wspomniał przecież, że wraca jakby pod postacią upiora.

Poczułem, że spociły mi się ręce. Zamierzałem jednak przeczytać list od ojca do samego końca. Może to dobrze, że wysłał list do przyszłości, a może nie. Za wcześnie, żeby mieć na ten temat zdecydowaną opinię.

Musiał być z niego niezły dziwak, pomyślałem, przynajmniej wtedy, kiedy miał dziewiętnaście lat, tamtej jesieni pod koniec lat siedemdziesiątych, bo moim zdaniem zrobił zbyt wielkie halo z tego, że tramwajem na Frogner jechała dziewczyna z olbrzymią torbą pomarańczy w objęciach. Nie ma przecież nic dziwnego w tym, że chłopcy i dziewczyny na siebie zerkają, wydaje mi się, że tak jest już od czasów Adama i Ewy.

Dlaczego nie mógł napisać po prostu, że się w niej zakochał? Ta dziewczyna z pewnością zrozumiała to o wiele wcześniej, niż on się rzucił na jej pomarańcze. Objął ją też jedną ręką w pasie. Może jechał tramwajem, podświadomie pragnąc zatańczyć z nią prawdziwego pomarańczowego walca?

Kiedy dzieci się w sobie zakochują, zaczynają albo się bić, albo ciągnąć za włosy. Wydawało mi się, że dziewiętnastolatkowie są trochę mądrzejsi.

Ale przeczytałem dopiero początek tej historii. Może ta „Dziewczyna z Pomarańczami" rzeczywiście miała w sobie jakąś fascynującą tajemnicę? Inaczej przecież ojciec nie zacząłby o niej opowiadać. Chorował, zdawał sobie sprawę z tego, że być może umrze. Musiał więc pisać o tym, co było bardzo ważne dla niego, a być może również dla mnie.

Dopiłem resztę coli i czytałem dalej.

Czy dane mi będzie jeszcze kiedyś spotkać Dziewczynę z Pomarańczami? Może nie, może mieszkała gdzieś w zupełnie innym miejscu, może przyjechała do Oslo tylko z krótką wizytą?

Kiedy byłem w mieście i widziałem tramwaj na Frogner, moim zwyczajem stało się zaglądanie we wszystkie okna, by sprawdzić, czy przypadkiem wśród pasażerów nie ma Dziewczyny z Pomarańczami. Taka sytuacja powtarzała się wielokrotnie, ale nigdy jej nie zobaczyłem. Zacząłem chodzić w okolice Frogner na wieczorne spacery i za każdym razem, gdy na ulicy dostrzegłem coś żółtego albo pomarańczowego, myślałem, że teraz wreszcie znów ją spotkam. Lecz chociaż miałem wielkie nadzieje, przeżyłem też wiele rozczarowań.

Mijały dni i tygodnie, aż w pewne poniedziałkowe przedpołudnie zajrzałem do jednej z kafejek na Karl Johans gate. Ja i moi koledzy ze studiów byliśmy tam w zasadzie stałymi bywalcami. Gdy tylko otworzyłem drzwi i wszedłem do środka, stanąłem jak wryty, a potem cofnąłem się o pół kroku. Dziewczyna z Pomarańczami siedziała nad filiżanką herbaty i przeglądała kolorową książkę. Nigdy wcześniej tam nie przychodziła, przynajmniej nigdy w tym samym czasie co ja. Miałem wrażenie, że czyjaś niewidzialna ręka umieściła ją w tej kafejce i kazała czekać, aż ja tu zajrzę i złożę jej wizytę. Ubrana była w ten sam znoszony anorak i, posłuchaj tylko, Georg, być może w to nie uwierzysz, ale od małego kawiarnianego stolika odgradzała ją trzymana na kolanach wielka papierowa torba, wypełniona po brzegi pięknymi pomarańczami.

Drgnąłem przestraszony. Widok Dziewczyny z Pomarańczami znów w tym samym pomarańczowym anoraku, z identyczną torbą pomarańczy na kolanach, wydał mi się równie nierzeczywisty jak fatamorgana. Od tej pory pomarańcze stały się jądrem tajemnicy, którą koniecznie musiałem odkryć. A tak w ogóle, cóż to były za pomarańcze! Ogarnęło mnie wrażenie, że te złociste pomarańczowe słoneczka lśnią niezwykle świeżo, aż miałem ochotę przetrzeć oczy. Były złocistożółte w jakiś zupełnie inny sposób niż pomarańcze, które widywałem do tej pory. Nawet przez skórkę czułem zapach świadczący o ich soczystości. Z całą pewnością nie były to zupełnie zwyczajne pomarańcze!

Niemal chyłkiem przemknąłem się w głąb lokalu i usiadłem przy stoliku w odległości czterech, może pięciu metrów od niej. Zanim podjąłem decyzję co do dalszych działań, chciałem tylko siedzieć i patrzeć na nią, napawać się widokiem niewyjaśnionego.

Sądziłem, że ona mnie nie zauważyła, lecz nagle podniosła wzrok znad książki i popatrzyła mi prosto w oczy. Przyłapała mnie w ten sposób na gorącym uczynku, bo zrozumiała, że przyglądam się jej już od dłuższej chwili. Uśmiechnęła się ciepło, a ten uśmiech, Georg, ten uśmiech mógłby roztopić cały świat, bo gdyby cały świat go zobaczył, ten uśmiech miałby moc wstrzymania wszelkich wojen i położenia kresu nieprzyjaźni na całej planecie, a już na pewno ogłoszono by długie zawieszenie broni.

Nie miałem już wyboru, musiałem do niej podejść. Ruszyłem powoli i usiadłem na wolnym krześle przy jej stoliku. Dziewczyna nie uznała tego wcale za nienaturalne, chociaż miała w sobie coś, dzięki czemu nie mogłem mieć całkowitej pewności, czy rozpoznała żałosnego faceta z tamtego tramwaju.

Przez kilka sekund tylko siedzieliśmy i patrzyliśmy na siebie, nie odzywając się ani słowem. Było trochę tak, jakby ona nie chciała, żebyśmy od razu zaczęli ze sobą rozmawiać. Długo patrzyła mi w oczy, z pewnością całą minutę, a ja tym razem nie odwróciłem wzroku. Zauważyłem, że źrenice lekko się jej poruszają. Jak gdyby jej oczy pytały: Pamiętasz mnie? Albo: Nie pamiętasz?

Wkrótce któreś z nas musiało coś powiedzieć, lecz ja byłem na tyle oszołomiony, że myślałem jedynie o tamtych czasach, kiedy żyliśmy razem jako para dzikich wiewiórek w małym zagajniku, tylko we dwoje. Ona uwielbiała się przede mną chować, musiałem bez przerwy śmigać w górę i w dół pni drzew, próbując ją znaleźć, a gdy tylko ją dostrzegłem, ona z gałęzi, na której siedziała, przeskakiwała na sąsiednie drzewo. W taki oto sposób, tańcząc, goniłem ją po całym lesie, aż pewnego dnia przyszło mi do głowy, że to ja mogę się jej schować. Teraz to ona kręciła się w poszukiwaniu mnie, a ja mogłem siedzieć na czubku drzewa albo na dole, w mchu, ukryty za starym pniakiem, i cieszyć się widokiem jej niecierpliwych poszukiwań, może szukała mnie z odrobiną lęku, że nigdy więcej mnie nie znajdzie...

Nagle jednak zaszło coś baśniowego, i to wcale nie w orzechowym lesie w tych pradawnych czasach, tylko tu i teraz, w kawiarni na środku Karl Johans gate.

Kiedy się dosiadałem do stolika dziewczyny, położyłem lewą rękę na blacie, a teraz ona nagle wsunęła swoją prawą dłoń w moją. Książkę już wcześniej położyła na pomarańczach, a lewym ramieniem wciąż obejmowała wielką torbę, niemal tak, jakby się bała, że ją jej odbiorę albo zrzucę na podłogę.

Moje zawstydzenie minęło. Czułem tylko jakąś chłodną moc przepływającą z jej palców w moje. Pomyślałem, że ta dziewczyna jest obdarzona nadprzyrodzonymi zdolnościami, i przyszło mi do głowy, że w taki czy inny sposób muszą one mieć związek z pomarańczami.

Zagadka, pomyślałem. Cudowna zagadka!

Wkrótce nie mogłem już dłużej siedzieć tak zupełnie bez słowa z czyjejkolwiek strony, chociaż być może była to zdrada, może złamanie reguł tego, co reprezentowała Dziewczyna z Pomarańczami. Wciąż patrzyliśmy sobie w oczy, ale teraz powiedziałem: — Jesteś wiewiórką!

Gdy tylko padły te słowa, dziewczyna uśmiechnęła się delikatnie i leciutko ścisnęła mnie za rękę. Potem puściła moją dłoń, majestatycznie wstała od stolika, nie wypuszczając wielkiej torby pomarańczy z objęć, i wyszła na ulicę. Zauważyłem, że ma łzy w oczach.

Byłem jak sparaliżowany. Oniemiały. Zaledwie przed kilkoma sekundami Dziewczyna z Pomarańczami siedziała naprzeciwko i dotykała mojej ręki. Wydawało mi się, że w powietrzu wciąż unosi się zapach pomarańczy, ale jej już nie było. Gdyby nie torba z pomarańczami, być może by do mnie pomachała. Potrzebowała jednak obydwu rąk, żeby przytrzymać torbę, i na żadne machanie nie starczyło już miejsca. Ale płakała.

A ja nie poszedłem za nią, Georg. Również to oznaczałoby złamanie zasad. Byłem po prostu przytłoczony, oszołomiony, nasycony. Przeżyłem coś cudownie tajemniczego, czym mogłem się karmić przez kilka kolejnych miesięcy. Pomyślałem, że z całą pewnością znów ją kiedyś spotkam. Tu działały potężne, lecz także nieprzewidywalne moce.

Ona była obca. Przybyła z baśni piękniejszej niż nasza. Udało jej się jednak przedostać do naszej rzeczywistości, może dlatego, że tu czekało na nią jakieś ważne zadanie, może miała nas ocalić przed tym, co niektórzy nazywają „szarą codziennością". Do tej pory kompletnie nie zdawałem sobie sprawy z takiej działalności misyjnej. Wierzyłem, że istnieje tylko jedno życie i tylko jedna rzeczywistość. Jednakże istniały przynajmniej dwa rodzaje ludzi. Dziewczyna z Pomarańczami i my, wszyscy inni.

Ale dlaczego miała łzy w oczach? Dlaczego płakała?

Pamiętam, że pomyślałem: Może ona ma zdolność jasnowidzenia? Bo dlaczego miałaby płakać na widok zupełnie obcego człowieka? Może jednak „zobaczyła", że pewnego dnia dopadnie mnie zły los?

To bardzo dziwne, że w ogóle mogłem wtedy wyobrazić sobie coś podobnego. Chociaż zawsze łatwo dawałem się ponieść wyobraźni, byłem i jestem człowiekiem myślącym bardzo racjonalnie.

Na tym etapie opowieści odczuwam potrzebę krótkiego podsumowania. Obiecuję, że nie będzie się to powtarzać zbyt często.

Młody mężczyzna i równie młodziutka kobieta nawiązują przelotny kontakt wzrokowy w tramwaju jadącym na Frogner. Nie są już dziećmi, lecz nie zdążyli też jeszcze na dobre dorosnąć, i nigdy wcześniej się nie widzieli. Kilka minut później młodemu człowiekowi wydaje się, że dziewczyna właśnie upuszcza olbrzymią torbę pełną soczystych pomarańczy. Rzuca się więc jej na ratunek, ale jego działania mają żałosny skutek: pomarańcze wysypują się na podłogę. Dziewczyna nazywa go wariatem, wysiada na najbliższym przystanku, pyta, czy mogłaby sobie wziąć jedną marną pomarańczę, a młody mężczyzna oszołomiony kiwa głową. Potem mija kilka tygodni i znów się spotykają, tym razem w pewnej kawiarni. Również wtedy dziewczyna trzyma przed sobą wielką papierową torbę po brzegi wypełnioną pomarańczami. Młody człowiek przysiada się do jej stolika i przez całą minutę patrzą sobie w oczy. Może to zabrzmieć jak banał, lecz w ciągu tych sześćdziesięciu sekund patrzą sobie w oczy naprawdę głęboko, zaglądają w głąb duszy, niemal aż do samego dna, on w jej duszę, ona w jego. Dziewczyna ujmuje go za rękę, a on mówi, że ona jest wiewiórką. Wtedy ona wstaje z gracją i wychodzi z kafejki, cały czas trzymając w ramionach wielki pakunek. Młody mężczyzna widzi, że kobieta ma w oczach łzy.

Między nimi dwojgiem padły zaledwie cztery kwestie. Ona: — Ty wariacie! Ona: — Czy mogę sobie wziąć jedną pomarańczę? On: — Przepraszam, przepraszam! I znów on: — Jesteś wiewiórką!

Reszta to niemy film. Reszta to szarada.

Potrafisz rozwiązać tę zagadkę, Georg? Ja tego nie umiałem. Może dlatego, że sam stanowiłem jej część.

Teraz ta historia naprawdę mnie porwała. Dziewczyna z Pomarańczami dwa razy z rzędu pojawiła się przed moim ojcem z wielką torbą pomarańczy w objęciach. To było rzeczywiście tajemnicze. Następnie, bez jednego słowa, wzięła go za rękę i patrzyła mu głęboko w oczy, a potem nagle wstała i, płacząc, wybiegła na ulicę. To doprawdy dziwaczne zachowanie. Niezwykłe.

Chyba że mój ojciec zaczął mieć przywidzenia!

Może Dziewczyna z Pomarańczami była po prostu tym, co się nazywa wytworem wyobraźni. Wielu ludzi twierdzi, że widziało potwora w Loch Ness, a nawet w jeziorze Seljord, i nie jest wcale takie pewne, że kłamią, możliwe, że zobaczyli wytwór własnej wyobraźni. Gdyby ojciec zaczął nagle opowiadać, że pewnego dnia zobaczył Dziewczynę z Pomarańczami, jadącą środkiem Karl Johans gate w wielkich saniach zaprzężonych w psy, nie miałbym wątpliwości, że historia o Dziewczynie z Pomarańczami w rzeczywistości opowiada o tym, jak to ojciec w pewnym krótkim okresie życia doznał pomieszania zmysłów. Coś takiego może się przytrafić nawet najlepszym, są na to lekarstwa.

Bez względu na to, czy Dziewczyna z Pomarańczami była jedynie wytworem wyobraźni, czy też człowiekiem z krwi i kości, i tak wyraźnie dało się zauważyć, że ojciec oszalał na jej punkcie. A kiedy wreszcie miał szansę coś jej powiedzieć, to stwierdzenie „Jesteś wiewiórką!" wypadło moim zdaniem niezbyt fortunnie. Sam był zdumiony, że mógł powiedzieć coś tak niemądrego, i wcale tego nie ukrywał. Dlaczego, na miłość boską, właśnie tak się odezwał? Cóż, ojcze, tej zagadki nie jestem w stanie odgadnąć.

Nie zamierzam wcale udawać mądrali. Jestem gotów jako pierwszy przyznać, że nie zawsze łatwo wymyślić, co powiedzieć dziewczynie, która, jak to się mówi, „wpadła w oko".

Wspominałem już, że gram na fortepianie. Nie jestem wcale superpianistą, ale potrafię zagrać pierwszą część sonaty „Księżycowej" Beethovena prawie bezbłędnie. Kiedy w samotności gram pierwszą jej część, ogarnia mnie niekiedy uczucie, że siedzę na Księżycu przy wielkim fortepianie, a w tym czasie Księżyc, fortepian i ja krążymy po orbicie wokół Ziemi. Mam wrażenie, że dźwięki, które wygrywam, słychać w całym Układzie Słonecznym, a jeśli nie docierają do samego Plutona, to przynajmniej do Saturna.

Dopiero niedawno zacząłem ćwiczyć również drugą część „Księżycowej", *Allegretto*. Jest nieco trudniejsza do wygrania, ale naprawdę fajnie się słucha, kiedy moja nauczycielka ją gra. Ta muzyka przywodzi mi na myśl mechaniczne laleczki, biegające w górę i w dół po schodach w centrum handlowym!

Trzecią część sonaty „Księżycowej" postanowiłem opuścić, wcale nie dlatego, że jest za trudna, tylko moim zdaniem po prostu nieprzyjemnie jej się słucha. Pierwsza część, *Adagio sostenuto*, jest piękna, może trochę smutna, natomiast ostatnia, *Presto agitato*, brzmi wprost groźnie. Gdybym podróżował statkiem kosmicznym i wylądował na obcej planecie, na której jakieś nieszczęsne stworzenie waliłoby w klawisze, grając trzecią część „Księżycowej", odleciałbym natychmiast już w chwili lądowania. Gdyby jednak to stworzenie zamiast tego grało pierwszą część, zostałbym być może przez kilka dni, a już na pewno ośmieliłbym się podejść i dokładniej wypytać o warunki panujące na tej muzykalnej planecie.

Powiedziałem kiedyś nauczycielce, że Beethoven ma w sobie tyle samo nieba co piekła. Aż otworzyła usta! Stwierdziła, że udała mi się puenta. A potem opowiedziała mi coś interesującego. Okazało się, że to wcale nie sam Beethoven nazwał swoją sonatę „Księżycową". On nadał jej tytuł *Sonata cis–moll, Opus 27 numer 2* z podtytułem *Sonata quasi una Fantasia*, a to znaczy tylko „sonata jak fantazja". Zdaniem mojej nauczycielki muzyki ta sonata jest zbyt złowieszcza, by nazywać ją „Księżycową". Powiedziała mi, że węgierski kompozytor Franz Liszt drugą jej część nazwał „kwiatem pomiędzy dwiema otchłaniami". Ja być może określiłbym ją jako „wesoły teatrzyk lalkowy pomiędzy dwiema tragediami".

Napisałem jednak, że nie mam najmniejszych trudności ze zrozumieniem, dlaczego ktoś nie potrafi wymyślić, co powiedzieć dziewczynie, która „wpadła mu w oko". Teraz nastąpi prawdziwe wyznanie, ponieważ jeśli chodzi o takie kwestie, również ja mam podobną sytuację na sumieniu. Jest ona także związana ze szkołą muzyczną.

W każdy poniedziałek między szóstą a siódmą mam lekcję gry na fortepianie. W tym samym czasie pewna dziewczyna przychodzi uczyć się grać na skrzypcach. Jest ode mnie młodsza o rok albo dwa, ale nie pozostaje mi nic innego, jak przyznać, że „wpadła mi w oko". Nierzadko siedzimy razem na korytarzu, pięć albo dziesięć minut, czekając aż zaczną się nasze lekcje. Do tej pory prawie ze sobą nie rozmawialiśmy, ale kilka tygodni temu spytała mnie, która godzina. Dokładnie ta sama sytuacja powtórzyła się tydzień później. Powiedziałem wtedy, że na zewnątrz leje jak z cebra i że pudło od skrzypiec jej zmokło. Dalej nie doszliśmy, to trzeba przyznać. Ponieważ ona nie zaczyna rozmawiać ze mną normalnie, ja też nie mam odwagi rzucić się w wir prawdziwej rozmowy. Może jej zdaniem wyglądam jak karaluch. Możliwe też jednak, że się jej podobam, tylko jest równie nieśmiała jak ja. Nie mam pojęcia, gdzie mieszka, ale dowiedziałem się, że ma na imię Isabelle, sprawdziłem to na liście uczących się gry na skrzypcach.

Zaczęliśmy przychodzić na lekcje muzyki coraz wcześniej. W ostatni poniedziałek siedzieliśmy i czekaliśmy blisko kwadrans. Ale tylko razem siedzimy. Tkwimy w milczeniu, cichutko jak myszki. Potem każde idzie do swojej sali i tam gra przy nauczycielu. Zdarzało mi się wyobrażać sobie, że ona nagle wpada do sali fortepianowej, kiedy ja spokojnie gram sonatę „Księżycową", i tak ją to wzrusza, że zaczyna mi akompaniować na skrzypcach. Taka sytuacja nigdy nie nastąpi, jest tylko wytworem mojej wyobraźni. Przyczyną, która ją wywołała, jest być może fakt, że nigdy nie widziałem jej skrzypiec. Nigdy też nie słyszałem, jak na nich gra. Nie wiem nawet, czy w pudle na skrzypce nie chowa zwyczajnego fletu prostego! (A jeśli tak, to wcale nie ma na imię Isabelle, tylko po prostu Kari).

Zmierzałem chyba do tego, że nie wiem, jak bym zareagował, gdyby nagle złapała mnie za rękę i popatrzyła mi głęboko w oczy. Nie wiem też, co bym zrobił, gdyby nagle zaczęła płakać. Przyszło mi do głowy, że mam zaledwie o cztery lata mniej, niż miał mój ojciec, kiedy spotkał Dziewczynę z Pomarańczami. Rozumiem, że mógł przeżyć szok. Rozumiem, dlaczego powiedział: „Jesteś wiewiórką!"

Tak, wydaje mi się, że mimo wszystko świetnie to rozumiem, ojcze. Opowiadaj dalej!

Po tym krótkim spotkaniu w kawiarni moje poszukiwania Dziewczyny z Pomarańczami weszły w fazę systematyczną i logiczną, ponieważ znów minęło wiele długich dni, a mnie nie udało się zobaczyć nawet jej cienia.

Nie muszę Cię wtajemniczać we wszystkie moje próby i błędy, Georg, bo plik byłby stanowczo za długi. Rozważałem jednak nieustannie i analizowałem wszelkie szczegóły, aż pewnego dnia wreszcie wymyśliłem: widziałem Dziewczynę z Pomarańczami dwukrotnie, i za każdym razem był to poniedziałek. Że też wcześniej na to nie wpadłem! Pozostawały jeszcze pomarańcze, prawdziwy trop, którym trzeba iść. Skąd pochodziły? Przecież chyba również na Frogner pomarańcze sprzedają w sklepach spożywczych. No tak, ale czy tamtejsze pomarańcze są aby na pewno soczyste i smaczne? Albo tanie? Doszedłem do wniosku, że jeśli ktoś jest naprawdę wybredny, kupuje pomarańcze na targu owocowym, na przykład na Youngstorget — w tamtych czasach był to jedyny prawdziwy duży targ w Oslo, na którym można było kupić owoce i warzywa — zwłaszcza jeśli codziennie zjada kilka kilo. Ten ktoś następnie jedzie tramwajem ze Storgata do domu na Frogner, bo nie powodzi mu się aż tak dobrze, żeby bez zastanowienia wsiąść do taksówki. Za moją tezą przemawiał jeszcze kolejny element: brązowa papierowa torba! W zwykłych sklepach spożywczych z reguły dostawało się plastikowe. A czyż właśnie nie na Youngstorget wszystkie zakupy pakowano w takie wielkie papierowe torby, jakie dźwigała Dziewczyna z Pomarańczami?

Była to wprawdzie tylko jedna z moich licznych hipotez, niemniej jednak przez trzy kolejne poniedziałki zaglądałem na Youngstorget, żeby kupić trochę owoców i warzyw. Byłem studentem i wiedziałem, że niezależnie od wszystkiego powinienem nieco urozmaicić jadłospis, bo ostatnio wykazywałem paskudną skłonność do odżywiania się grillowanymi kiełbaskami i sałatką z krewetek.

Nie ma potrzeby, żebym opisywał gwarne życie na Youngstorget, Georg, wystarczy, że zachowasz się tak jak ja. Masz po prostu wypatrywać tajemniczej dziewczyny ubranej w anorak, stojącej przed którymś z kramów i targującej się o cenę dziesięciokilogramowej torby pomarańczy. Możesz też spróbować rozejrzeć się za tą samą młodą damą, opuszczającą targ z ciężką torbą w ramionach. O wszystkim innym powinieneś zwyczajnie zapomnieć, to znaczy o wszystkich innych.

Ale czy ją widzisz, Georg?

Osobiście doznałem rozczarowania zarówno za pierwszym, jak i za drugim razem, gdy się tam wybrałem, jednak w trzeci poniedziałek dostrzegłem pomarańczową postać na samym końcu targu. Ależ tak, to ta dziewczyna w starym górskim anoraku! Stała właśnie przed jednym ze straganów z owocami i wrzucała pomarańcze do dużej papierowej torby!

Przeszedłem chyłkiem przez targ i wkrótce znalazłem się w odległości kilku metrów od niej. A więc to tu je kupowała! Miałem wrażenie, jakbym przyłapał ją na gorącym uczynku. Czułem, że kolana się pode mną uginają, i przestraszyłem się, że upadnę na ziemię.

Dziewczyna z Pomarańczami nie skończyła jeszcze wypełniać torby, a to dlatego, że kupowała pomarańcze w zupełnie inny sposób niż wszyscy pozostali klienci. Posłuchaj tylko: stałem i przez dłuższą chwilę przyglądałem się, jak kolejno podnosi pomarańcze, jedną po drugiej, bardzo dokładnie ocenia każdy pojedynczy okaz, a potem albo wrzuca go do torby, albo odkłada z powrotem do wielkiego kosza, z którego go wzięła. Zrozumiałem, dlaczego nie zadowala jej kupowanie pomarańczy w przypadkowym sklepie spożywczym na Frogner. Ta młoda dama była uzależniona od szalonej ilości pomarańczy, wśród których mogła dokonywać odpowiedniego wyboru.

Z podobną wybrednością w odniesieniu do pomarańczy nigdy wcześniej się nie zetknąłem i uświadomiłem sobie z pełnym przekonaniem, że ta dziewczyna nie kupuje pomarańczy wyłącznie po to, by wyciskać z nich sok. Do czego jednak je wykorzystywała? Masz jakiś pomysł, Georg? Potrafisz pojąć, dlaczego poświęcała blisko pół minuty na powzięcie decyzji, czy właśnie ta pomarańcza ma trafić do jej torby?

Sam wpadłem wyłącznie na jedno rozwiązanie: Dziewczyna z Pomarańczami pracuje jako kierowniczka kuchni w dużym przedszkolu, w którym dzieci codziennie dostają pomarańcze na drugie śniadanie. Powszechnie wiadomo, że większość dzieci posiada silnie rozwinięte poczucie sprawiedliwości. Dlatego zadanie Dziewczyny z Pomarańczami polega na wybieraniu i kupowaniu doskonale identycznych owoców, tej samej wielkości, tak samo okrągłych i tego samego lśniącopomarańczowego koloru. Poza wszystkim musi je liczyć.

Ten pomysł wydał mi się przekonujący, zdążyłem nawet poczuć dreszcz lęku, ponieważ w tym samym przedszkolu pracowało również kilku przystojnych chłopaków, odrabiających służbę wojskową. Ale, Georg, z odległości paru metrów mogłem wkrótce skonstatować, że tutaj chodzi o coś zupełnie innego. Doprawdy nietrudno było zauważyć, że Dziewczyna z Pomarańczami wysila się niemal do ostateczności, żeby wybrać pomarańcze jak najbardziej różniące się od siebie, zarówno wielkością, kształtem, jak i kolorem. Poza tym możesz sobie zanotować pewien szczegół: przy niektórych owocach tkwiły jeszcze listki z drzewka pomarańczowego!

Z ulgą porzuciłem myśl o natrętnych chłopakach pomagających w przedszkolu. Ale to była jedyna rzecz, z jakiej mogłem się cieszyć. Dziewczyna była i pozostała zagadką.

Wreszcie torba została napełniona, Dziewczyna z Pomarańczami zapłaciła straganiarce i ruszyła w stronę Storgata. Szedłem za nią w pewnej odległości, postanowiłem bowiem, że pokażę się jej dopiero wtedy, kiedy wsiądziemy do tramwaju jadącego na Frogner. Niestety, akurat w tym decydującym momencie moje przypuszczenia okazały się błędne. Tego popołudnia bowiem dziewczyna nie poszła aż do Storgata, żeby tam wsiąść do tramwaju. Zanim dotarliśmy na przystanek, wsiadła do jakiegoś białego samochodu, to była toyota, a w tym samochodzie z przodu siedziała już jedna osoba, mężczyzna.

Doszedłem do wniosku, że nie mogę teraz do niej podbiec. Nie miałem ochoty poznawać tego mężczyzny. Zresztą wkrótce samochód ruszył, skręcił za róg i zniknął.

Mimo wszystko mogę Ci udzielić ważnej dodatkowej informacji: W chwili gdy Dziewczyna z Pomarańczami wsuwa się do samochodu z wielką torbą w objęciach, odwraca się nagle i patrzy na mnie. Albo zdążyła mnie poznać, albo nie, całkowitej pewności mieć nie mogę. Pewien jestem tylko, że wsiadła do białej toyoty, w której czekał na nią mężczyzna, i że wsiadając, popatrzyła na mnie.

Kim był ów szczęśliwy człowiek? Nie miałem możliwości stwierdzić, ile miał lat, mógł oczywiście być jej ojcem, lecz mógł także być... No cóż, nic o tym nie wiedziałem. Czy odpracowywał służbę wojskową? Raczej nie, nie jeździłby białą toyotą. A może to ten nadzwyczaj fajny ojciec czteromiesięcznej dziewczynki o imieniu Ranveig? Niekoniecznie, przecież nic na to nie wskazywało. Wobec tego równie prawdopodobne było, że to mężczyzna, z którym Dziewczyna z Pomarańczami zamierzała przejść na nartach Grenlandię. O nim już dawno zdążyłem wyrobić sobie opinię. W całych kaskadach obrazów widziałem już racje pomarańczy, czekany, raki, zapasowe kijki narciarskie, śpiwory, prymus i bulion. Wyobrażałem sobie namiot, w którym mieli nocować, żółty, i doszedłem nawet do tego, że w zaprzęgu jest osiem psów.

Oczywiście, że potrafiłem sobie to wyobrazić! Niech im się nie wydaje, że zdołają się przede mną ukryć. W głowie miałem jakby całą rolkę taśmy filmowej: przemierzają na nartach ciągnący się kilometrami lądolód grenlandzki. Ona jest równie piękna i niewinna jak bogini śniegu. W przeciwieństwie do niego, bo on ma krzywy nos, rys goryczy wokół ust i spojrzenie zdradzające mroczne zamiary, podejrzane tak samo jak głębokie szczeliny w lodzie, w które ona może w każdej chwili wpaść. (Czy on wtedy pomoże jej się wydostać ze szczeliny? Czy też ucieknie co sił w nogach i będzie się żywił jej racjami pomarańczy ze świadomością, że już nigdy w życiu jej nie spotka?). Ten człowiek posiada brutalną męską siłę, prymitywną i wstrętną. Strzela do niedźwiedzi polarnych z taką samą beztroską, jak inni zabijają komary. A skoro już o tym mówimy: należy wziąć pod uwagę, że tam, wśród bloków lodu, daleko od wszelkich norm społecznych, on może ją w każdej chwili zgwałcić. Kto by ich bowiem zobaczył? Kto by im się tam przyglądał? Mogę Ci to powiedzieć, Georg. Tylko ja. Byłem w stanie tworzyć coraz ostrzejszy obraz całej ekspedycji. Miałem pełną kontrolę nad wszelkim sprzętem, jaki powinni ze sobą zabrać. Nim dzień minął, nadałem imiona wszystkim ośmiu psom, a w trakcie wieczoru sporządziłem kompletną listę zapasów, w które koniecznie powinni się zaopatrzyć. Sprzęt ogółem ważył dwieście czterdzieści kilogramów, wliczając w to niedużą buteleczkę szamponu i ćwiartkę wódki, którą będą mogli wypić, kiedy już dotrą do Siorapaluk albo Qaanaag...

Ale już następnego dnia rano moje nerwy się uspokoiły. Wyprawy na nartach przez Grenlandię nie rozpoczyna się w grudniu. W grudniu podobne ekspedycje wybierają się na Antarktydę, a żaden uczestnik wyprawy na Antarktydę nie kupowałby pomarańczy na targu owocowym w Oslo, takie niezbędne sprawunki załatwia się w Chile albo w Republice Południowej Afryki. W ogóle nie ma pewności, że polarnicy kupują choćby jedną pomarańczę. Ktoś, kto chce na nartach dotrzeć do bieguna południowego, musi bez względu na wszystko przyjmować tyle kalorii dziennie, że odrębny zastrzyk witamin raczej nie jest konieczny. Poza tym pomarańcze to za ciężki prowiant, a przede wszystkim jak zjeść zmrożoną pomarańczę w grubych polarnych rękawicach? Pomarańcze jako zapas płynu podczas wyprawy na biegun mogą okazać się równie fatalne dla jej powodzenia jak kuce Scotta. Przecież do uzyskania płynu pod biegunem nie potrzeba niczego więcej oprócz paru kropli benzyny i porządnego prymusa. Lód i śnieg, czyli woda, to jedyna rzecz, jakiej naprawdę nie brakuje w tych okolicach, a pomarańcza w ponad osiemdziesięciu procentach składa się z wody.

Kochana Dziewczyno z Pomarańczami, pomyślałem. Kim jesteś? Skąd się wzięłaś? Gdzie jesteś teraz?

Mama znów stanęła pod drzwiami. — Co tam u ciebie, Georg?

— W porządku — odparłem. — Ale musisz przestać marudzić.

Milczała przez dwie sekundy, a w końcu oświadczyła: — Nie podoba mi się, że zamknąłeś drzwi na klucz.

— A jaki sens ma klucz w drzwiach, jeśli się go od czasu do czasu nie używa? Istnieje coś, co się nazywa spokojem życia prywatnego.

Odrobinę się zirytowała. A może raczej należałoby stwierdzić, że się obraziła.— Jesteś dziecinny, Georg — orzekła. — Nie masz żadnych powodów, żeby się przed nami zamykać.

— Mam piętnaście lat, mamo. To nie ja jestem dziecinny.

Westchnęła ciężko, żeby nie powiedzieć — ze złością. Potem zapadła zupełna cisza.

Oczywiście ani słowem nie wspomniałem o Dziewczynie z Pomarańczami. Miałem bowiem silne przekonanie, że tego wszystkiego, z czego ojciec mi się zwierzył w związku z Dziewczyną z Pomarańczami, nigdy nie zdradził mamie. Inaczej przecież to ona mogłaby mi o niej opowiedzieć, a ojciec nie musiałby poświęcać swoich ostatnich chwil na ziemi na pisanie długiego listu do mnie. Może w młodości przeżył coś, przed czym koniecznie chciał ostrzec syna, porozmawiać z nim jak mężczyzna z mężczyzną. W każdym razie chciał mi zadać jakieś ważne pytanie.

Na razie najbardziej konkretne było pytanie o teleskop Hubble'a. Szkoda, że nie wiedział, ile ja mógłbym mu o tym powiedzieć.

Nauczyciel zmusił mnie do odczytania mojej pracy przed całą klasą. Musiałem też pokazać zdjęcia. Miał dobre zamiary, ale już na następnej przerwie kilka dziewczyn zaczęło mnie przezywać „małym Einsteinem". Przypadkiem były to te same dziewczyny, które z największym zapałem eksperymentują z cieniami do powiek i szminką. Przypuszczam, że prowadzą również wiele innych eksperymentów.

Nie mam nic przeciwko cieniom do powiek i szmince. Ale przecież żyjemy na planecie zawieszonej gdzieś we wszechświecie. Moim zdaniem można oszaleć, gdy człowiek to sobie uświadomi. Wprost niewiarygodne, że w ogóle istnieje wszechświat. Są jednak dziewczyny, które zza tuszu do rzęs nie potrafią dostrzec kosmosu. Są też chyba chłopcy, którzy nie są w stanie spojrzeć ponad horyzont, bo przeszkadza im w tym piłka. W każdym razie małe lusterko do makijażu od porządnego zwierciadła teleskopu dzieli spory dystans! Wydaje mi się, że pokonanie tego dystansu można określić jako „przesunięcie perspektywy". Możliwe, że dałoby się to również nazwać „reakcją aha!". Na takie doznania nigdy nie jest za późno. Mnóstwo ludzi jednak przeżywa całe życie bez świadomości, że unoszą się w próżni. Zbyt wiele powstrzymuje ich na powierzchni. Wystarcza im myślenie o tym, jak wyglądają.

Nasze miejsce jest na tym globie. Nie zamierzam tego wcale podważać. Stanowimy część świata natury na naszej planecie. Tu od gadów i małp nauczyliśmy się rozmnażać i nie mam nic przeciwko temu. Wśród innej przyrody być może wszystko wyglądałoby całkiem inaczej, ale my jesteśmy tutaj. I powtarzam: wcale tego nie odrzucam. Chodzi mi tylko o to, że ten fakt nie musi nas powstrzymywać przed patrzeniem poza czubek własnego nosa.

„Tele-skop" znaczy mniej więcej tyle co patrzenie na coś, co jest daleko. Ale czy ta opowieść o „Dziewczynie z Pomarańczami" może naprawdę mieć jakiś związek z teleskopem kosmicznym?

Celem umieszczenia teleskopu w przestrzeni kosmicznej nie było oczywiście zbliżenie się do tych gwiazd i planet, które mógł zaobserwować. Byłoby to mniej więcej równie niemądre działanie, jak stawanie na palcach po to, by móc lepiej zobaczyć kratery na Księżycu. Cały sens wysyłania teleskopu tak daleko polegał na możliwości zbadania przestrzeni kosmicznej z jakiegoś punktu położonego poza atmosferą ziemską.

Wielu ludzi myśli, że gwiazdy na niebie mrugają, lecz w rzeczywistości wcale tak nie jest. To tylko niestała atmosfera stwarza takie złudzenie, mniej więcej tak, jak niespokojna powierzchnia wody może wywołać wrażenie, że kamienie na dnie jeziora kołyszą się i rozmywają. Albo odwrotnie: z dna basenu pływackiego nie zawsze da się łatwo stwierdzić, co się porusza na jego brzegu.

Na powierzchni Ziemi nie ma takiego teleskopu, który byłby w stanie przekazać nam naprawdę ostre zdjęcia przestrzeni kosmicznej. Potrafi to jedynie Hubble Space Telescope. Właśnie dlatego może nam powiedzieć o wiele więcej o tym, co się tam znajduje, niż teleskopy na Ziemi.

Mnóstwo ludzi ma tak krótki wzrok, że nie są w stanie odróżnić konia od krowy czy nawet hipopotama od zebry. Takie osoby, żeby lepiej widzieć, muszą nosić okulary.

Pisałem już, że w teleskopie Hubble'a prędko odkryto poważną usterkę, polegającą na odchyleniu kształtu głównego zwierciadła, i że załoga wahadłowca Endeavour naprawiła tę wadę w grudniu 1993 roku. Właściwie astronauci nie zmienili niczego w samym zwierciadle. Po prostu nałożyli na nie okulary. Te okulary składają się z dziesięciu małych zwierciadeł, a nazywają się COSTAR, czyli *Corrective Optics Space Telescope Axial Replacement, Korektor Optyki Teleskopu Kosmicznego.*

Cóż, w dalszym ciągu nie mogłem pojąć, co może łączyć teleskop kosmiczny z „Dziewczyną z Pomarańczami". Teraz, czyli w chwili pisania, nareszcie to rozumiem, ale tylko dlatego, że już dawno przeczytałem cały ten długi list, który ojciec pisał do mnie w ciągu ostatnich tygodni przed śmiercią. Tak naprawdę czytałem go już cztery razy, ale nowym czytelnikom oczywiście niczego nie zdradzę.

Opowiadaj dalej, ojcze! Opowiadaj wszystkim, którzy teraz czytają tę książkę!

Następnym razem ujrzałem Dziewczynę z Pomarańczami w wigilię świąt Bożego Narodzenia, tak, tak, w samiutką wigilię. I tym razem naprawdę z nią rozmawiałem. Cóż, w każdym razie zamieniliśmy kilka słów.

W tym czasie mieszkałem w dzielnicy Adamstuen w malutkim mieszkaniu, które dzieliłem z kolegą ze studiów, Gunnarem. Wigilię zamierzałem jednak spędzić w domu na Humleveien razem z rodziną, to znaczy tylko z mamą, ojcem i moim bratem, czyli ze stryjem Einarem. Einar jest o cztery lata młodszy ode mnie i tamtej zimy chodził do ostatniej klasy gimnazjum. To było wiele lat przed tym, nim babcia i dziadek przeprowadzili się do Tønsberg.

Prawie już zrezygnowałem z prób ponownego spotkania Dziewczyny z Pomarańczami, w dodatku wciąż nie miałem pojęcia, kim mógł być mężczyzna w białej toyocie. Nieoczekiwanie jednak wpadłem na pomysł, że zanim pojadę do rodziców na Humleveien, mógłbym zupełnie wyjątkowo pójść na świąteczne nabożeństwo. Wciąż byłem jak upojony tą tajemniczą osobą i naszło mnie przeczucie, że jej także może przyjść do głowy wybrać się do kościoła, zanim usiądzie do stołu razem z tymi, z którymi zamierzała spędzić święta. (Kto to mógł być? No właśnie, co to za ludzie?). Doszedłem do wniosku, że najbardziej prawdopodobne, a mówiąc dokładniej, najmniej nieprawdopodobne, może być spotkanie jej w katedrze.

Dla wszelkiej pewności muszę podkreślić, że nic z tego, co opowiadam o Dziewczynie z Pomarańczami, nie zostało zmyślone dla dobra samej opowieści. Upiory nie kłamią, Georg, bo nic nie mogą na tym zyskać. Z drugiej jednak strony: nie mówię wszystkiego. Czy ktoś zresztą kiedykolwiek próbował podjąć tak daremny trud?

Nie muszę rozwodzić się nad wszystkimi nieudanymi próbami ponownego spotkania Dziewczyny z Pomarańczami. Poświęciłem dni i tygodnie na przeszukiwanie całej okolicy Frogner, ale o tym nie będę pisał. Gdybym opowiedział o wszystkich moich działaniach, historia byłaby zbyt długa i nader szczegółowa. Co najmniej cztery razy w tygodniu chodziłem na długie spacery po parku Frogner. Wcale nierzadko zdawało mi się, że ją widzę albo na tym dużym moście, albo przed kawiarnią Parkową, albo przy Monolicie, ale za każdym razem okazywało się, że to nie ona. Zdobyłem się nawet na chodzenie do kina w nadziei, że tam się na nią natknę. Nie musiałem nawet oglądać całego filmu. Czasami kiedy kończyły się reklamy, a Dziewczyna z Pomarańczami się nie pojawiała, wychodziłem z sali i na przykład kupowałem bilet do innego kina. Stałem się mistrzem w wybieraniu filmów, które, moim zdaniem, mogły się jej spodobać. Jeden nazywał się „Punkt zwrotny", a inny, szwajcarski, „Koronczarka". Nad takimi epizodami nie będę się jednak szerzej rozwodzić.

W tej opowieści jest tylko jedna czerwona nitka, Georg, a składają się na nią wyłącznie te chwile, kiedy rzeczywiście spotkałem Dziewczynę z Pomarańczami. Nie trzeba robić wiele hałasu o te wszystkie dni, kiedy jej nie spotkałem. Tak samo jak nie ma sensu opowiadać historii o wszystkich tych kuponach lotto, na które nie padła żadna wielka wygrana. Czy kiedykolwiek słyszałeś podobną historię? Kiedy ostatnio czytałeś w codziennej gazecie albo w tygodniku o człowieku, który nigdy nie wygrał miliona w lotto? Dokładnie tak samo rzecz się ma również z moją historią. Opowieść o Dziewczynie z Pomarańczami jest jak historia o gigantycznej loterii, w której widoczne są wyłącznie wygrywające losy. Pomyśl tylko o wszystkich kuponach lotto, które ludzie wypełniają w ciągu tygodnia. Spróbuj je sobie wyobrazić, zgromadzone w jakimś wielkim pomieszczeniu, być może potrzebna by do tego była cała sala gimnastyczna. Następuje elegancka czarodziejska sztuczka i wszystkie kupony, na które nie pada ponadmilionowa wygrana, znikają. Doprawdy, w tej wielkiej sali gimnastycznej pozostaną nieliczne kupony, Georg. I tylko o nich możemy przeczytać w gazetach!

A teraz poszukujemy Dziewczyny z Pomarańczami, to do niej się przyczepiliśmy, tylko o niej opowiada ta historia. Dlatego o wszystkim innym możemy tym razem zapomnieć. Przekreślamy wszystkich innych ludzi w mieście. W jeden wielki nawias bierzemy wszystkie pozostałe kobiety. Po prostu tak.

Nie widzę jej przed wejściem do katedry, lecz w środku zauważam ją nagle w chwili, kiedy organista gra preludium Bacha. Lodowacieję wewnątrz, a potem robi mi się gorąco.

Dziewczyna z Pomarańczami siedzi po drugiej stronie nawy, to nie może być nikt inny niż ona, a w pewnej chwili podczas nabożeństwa obraca się i zerka na chór, śpiewający bożonarodzeniowy psalm. Dzisiaj dziewczyna nie ma na sobie pomarańczowego anoraka, nie trzyma też wielkiej torby pomarańczy na kolanach. Przecież są Święta. Ubrana jest w czarny płaszcz, a włosy ma zebrane na karku i spięte potężną klamrą, która wygląda na srebrną, tak, na zrobioną z najczystszego baśniowego srebra. Może spinkę wykuło tych samych siedmiu krasnoludków, którzy kiedyś uratowali życie Królewnie Śnieżce?

Ale z kim ona jest? Po jej prawej stronie siedzi jakiś mężczyzna, lecz podczas całego nabożeństwa ani razu nie nachylają się do siebie. Przeciwnie, pod koniec mszy widzę, jak mężczyzna siedzący po prawej ręce Dziewczyny z Pomarańczami skłania głowę w stronę kobiety, która z kolei siedzi po jego prawej ręce, i coś jej szepcze do ucha. Zapamiętałem ten gest jako bardzo piękny. Każdy człowiek może się oczywiście obracać i w prawo, i w lewo, decyzja zależy od niego, więc ten mężczyzna również nie stanowi żadnego wyjątku, ale on obraca się w prawo, można chyba powiedzieć, że we właściwym kierunku. Mam wrażenie, że to ja decyduję o tym, w którą stronę się nachyli.

Z lewej strony Dziewczyny z Pomarańczami siedzi starsza korpulentna pani i nic nie wskazuje na to, że

Dziewczyna z Pomarańczami ją zna, ale oczywiście mogły się poznać na Youngstorget, bo starsza pani niezaprzeczalnie przypomina przekupkę i może wspólne chodzenie na świąteczne nabożeństwo już od dawna stało się ich tradycją. Czemu nie, Georg? Dlaczego miałoby tak nie być? Dziewczyna z Pomarańczami jest najlepszą klientką tej straganiarki, a w każdym razie najlepszą klientką, jeśli chodzi o sprzedaż pomarańczy. Z tego powodu, rzecz jasna, dostaje zasłużony rabat. Siedem koron za kilogram marokańskich pomarańczy to nie jest skromna cena, lecz Dziewczyna z Pomarańczami dostaje je za 6,50, i to pomimo iż wolno jej poświęcić blisko pół godziny na wypełnienie torby starannie dobranymi, różniącymi się od siebie okazami.

Nie słyszę słów pastora, ale on prawdopodobnie mówi o Maryi, Józefie i dzieciątku Jezus, inaczej być nie może. Zwraca się do dzieci, a mnie się to podoba, bo to przecież ich dzień. Czekam tylko, aż nabożeństwo się skończy. Wreszcie postludium przebrzmiewa, wierni wstają z ławek, a ja za wszelką cenę muszę się postarać nie dopuścić do tego, aby Dziewczyna z Pomarańczami wyszła z kościoła przede mną. Mija moją ławkę. Porusza lekko głową, nie wiem, czy mnie zauważyła. Ale jest sama. Jeszcze piękniejsza niż ją zapamiętałem. Mam wrażenie, jakby cała promienność świąt Bożego Narodzenia zgromadziła się w jednej osobie.

Ha! Tylko ja wiem, że ta młoda dama to najprawdziwsza Dziewczyna z Pomarańczami, która w dodatku pełna jest kuszących tajemnic. Wiem, że przybywa z zupełnie innej baśni, gdzie obowiązują całkowicie inne reguły niż tutaj. Wiem, że ona jest szpiegiem w naszej rzeczywistości. Tego dnia jednak przyszła do katedry jako jedna z nas i razem z nami raduje się, że narodził się nasz Zbawiciel. Uważam, że to wspaniale.

Idę tuż za nią. Pod kościołem niektórzy ludzie zatrzymują się, żeby złożyć sobie świąteczne życzenia, ale ja mam wzrok utkwiony w magiczną srebrną klamrę na karku Dziewczyny z Pomarańczami. Na całym świecie istnieje tylko jedna Dziewczyna z Pomarańczami, a to dlatego, że tylko ona wybrała się tutaj z tamtej innej rzeczywistości. Kieruje się teraz w stronę Grensen, ja zaś podążam za nią w odległości kilku metrów. Zaczął padać śnieg, zmrożone płatki tańczą w powietrzu. Zauważam to tylko dlatego, że wilgotne śnieżynki kładą się na ciemnych włosach Dziewczyny z Pomarańczami. Będzie teraz miała mokre włosy, mówię do siebie w myślach. Szkoda, że nie mam parasola albo przynajmniej gazety, którą mógłbym osłonić jej głowę.

To szaleństwo, przyznaję, przynajmniej na tyle starcza mi świadomości. Ale jest wigilia. Nawet jeśli epoka cudów minęła, to został nam przynajmniej jeden magiczny dzień, w którym wszystko może się wydarzyć. Naprawdę wszystko. Anieli grają, króle witają, a dziewczyny z pomarańczami krążą po ulicach jak gdyby nigdy nic.

Tuż przed Øvre Slottsgate wreszcie ją doganiam. Wyprzedzam ją o krok, odwracam się i mówię radośnie: — Wesołych Świąt!

Ona jest najwyraźniej zaskoczona, albo też udaje zaskoczoną, takich rzeczy nigdy nie wiadomo. Uśmiecha się leciutko. Nie wygląda na szpiega. Wygląda jak dziewczyna, dla której gotów byłbym oddać wszystko, byle tylko lepiej ją poznać. Odpowiada: — Wesołych Świąt!

Uśmiecha się naprawdę. Znów zaczynamy iść. Wydaje mi się, że moja bliskość nie jest jej nieprzyjemna. Mam wrażenie, że jej się to nawet podoba. Dostrzegam kontury dwóch pomarańczy, które schowała pod czarnym płaszczem. Obie są idealnie tej samej wielkości i tak samo okrągłe. Wprawiają mnie w zdenerwowanie. Zawstydzają mnie. Stałem się nadwrażliwy na okrągłe kształty.

Czuję, że powinienem powiedzieć coś więcej, bo jeśli nie powiem, to będę musiał ją zostawić, odejść, udając, że mam mało czasu. Tymczasem nigdy nie miałem więcej czasu. Jestem u źródeł czasu, dotarłem do celu i sensu wszech czasów. Przypomina mi się wierszyk duńskiego poety Pieta Heina:

Kto nie żyje nigdy
tu i teraz,
ten nie żyje nigdy.
Co wybierasz? *

Ja żyłem teraz, a był na to czas najwyższy, bo nie żyłem nigdy wcześniej. Wewnątrz odczuwam wielką radość. Bez zastanowienia wypalam: — To znaczy, że nie jesteś w drodze na Grenlandię?

---

* Piet Hein, *Ten, kto nigdy –*, w: *Gruki*, przeł. z duńskiego Bogusława Sochańska, Instytut Wydawniczy Świadectwo, Bydgoszcz 1999.

Niemądrze powiedziałem. Dziewczyna mruży oczy.

— Nie mieszkam na Grønland — mówi w końcu.

Uświadamiam sobie, że jedna z dzielnic Oslo nazywa się Grønland, tak jak Grenlandia. Jest mi okropnie głupio, ale stwierdzam, że najbezpieczniej zrobię, trzymając się raz już obranej drogi. Tłumaczę: — Miałem na myśli lądolód grenlandzki. Z ośmioma psami zaprzężonymi do sań i dziesięcioma kilogramami pomarańczy.

Uśmiechnęła się, czy się nie uśmiechnęła?

Dopiero w tej chwili uświadamiam sobie, że być może ona mnie nie pamięta z tamtego spotkania w tramwaju jadącym na Frogner. Ta świadomość to rozczarowanie, mam wrażenie, jakby ziemia usuwała mi się spod stóp, lecz jednocześnie czuję ulgę. Mimo wszystko od tamtego dnia, kiedy wysypałem całą torbę pomarańczy, upłynęły mniej więcej dwa miesiące, nigdy wcześniej się nie widzieliśmy, a cała tamta scena trwała zaledwie kilka sekund.

Ale ona musi pamiętać mnie przynajmniej z kafejki na Karl Johans gate. A może stale przesiaduje po kawiarniach i trzyma za rękę nieznajomych mężczyzn? Myśl o tym była bardzo nieprzyjemna. Robiła z niej osobę podejrzaną. Nawet prawdziwa Dziewczyna z Pomarańczami powinna wystrzegać się rozdawania błogosławieństw na prawo i lewo.

— Z pomarańczami? — powtarza ona, uśmiechając się z prawie południowym ciepłem, jak wiatr sirocco wiejący od Sahary.

— Właśnie — mówię. — I to z taką iiością, która wystarczy na dwuosobową przeprawę na nartach przez Grenlandię.

Dziewczyna się zatrzymuje. Nie mam pewności, czy chce kontynuować tę konwersację. Nie wiem, czy nie sądzi, że tak naprawdę chciałbym ją zaprosić na niebezpieczną wyprawę na nartach przez Grenlandię. Nagle jednak znów podnosi na mnie wzrok, ciemne oczy suną zygzakiem pomiędzy moimi oczami, a ona pyta: — To ty, prawda?

Kiwam głową, chociaż nie mogę mieć całkowitej pewności, o co ona właściwie zapytała, bo niemożliwe, żebym był jedyną osobą, która spotkała ją, kiedy miała objęcia pełne pomarańczy. Ale ona dodaje, jak gdyby coś sobie przypomniała: — To ty na mnie wpadłeś w tramwaju, który jechał na Frogner, tak czy nie?

Kiwam głową.

— Zachowałeś się jak wariat.

— A teraz wariat chciałby jakoś wynagrodzić te wszystkie stracone pomarańcze — mówię.

Ona śmieje się serdecznie, jak gdyby to była ostatnia rzecz, jaka przyszła jej na myśl. Przekrzywia głowę i mówi: — Zapomnij o tym. Byłeś taki słodki.

Przepraszam, że sam sobie przerywam, Georg, ale znów muszę Cię spytać, czy możesz mi pomóc rozwiązać pewną zagadkę. No bo chyba sam zauważyłeś, że coś tu się nie zgadza. Dziewczyna z Pomarańczami już podczas tamtej nieszczęsnej jazdy tramwajem patrzyła na mnie wyzywająco, niemal jakby chciała coś ode mnie wymusić. Odniosłem wtedy wrażenie, że upatrzyła mnie sobie spośród wszystkich ludzi w przepełnionym tramwaju, albo też, mówiąc krótko a dosadnie, spośród wszystkich ludzi na ziemi. Kilka tygodni później pozwoliła mi się przysiąść do swojego stolika w kawiarni. Przez całą minutę spoglądała mi w oczy, a potem wsunęła swoją dłoń w moją. W tej dłoni gotował się czarodziejski wywar z cudownych uczuć. Następnie spotykamy się znów, za kilka minut dzwony ogłoszą nadejście świąt Bożego Narodzenia. Tymczasem ona mnie nie pamięta?

Nie zapominajmy, że Dziewczyna z Pomarańczami przybyła z zupełnie innej baśni niż nasza, a więc z baśni, w której obowiązują całkiem inne zasady niż u nas. Istniały bowiem dwie równoległe rzeczywistości, jedna to ta ze Słońcem i Księżycem, druga to niezgłębiona baśń, do której Dziewczyna z Pomarańczami nagle zaczęła otwierać drzwi. A mimo wszystko, Georg, były tylko dwie możliwości: albo dziewczyna doskonale mnie pamiętała z obydwu tych epizodów, a być może również z Youngstorget, lecz udawała, że mnie nie poznaje, oszukiwała, że mnie zapomniała. To była jedna możliwość. Druga niepokoiła mnie o wiele bardziej. Posłuchaj tylko: nieszczęsna dziewczyna nie była całkiem przy zdrowych zmysłach, jak to się mówi, pomieszało jej się w głowie. A już na pewno miała problemy z pamięcią. Może nie była w stanie zapamiętać niczego przed dłuższy czas, co być może stanowi problem wszystkich wiewiórek. Wiewiórka po prostu jest na świecie raz tu, raz tam. Bo „kto nie żyje nigdy tu i teraz, ten nie żyje nigdy. Co wybierasz?". W życiu polegającym na szalonej zabawie nie ma miejsca na wspomnienia i refleksję, bo sama zabawa i tak zabiera już za dużo czasu. Taka zasada obowiązywała w baśni, z której przybyła Dziewczyna z Pomarańczami. Przypomniało mi się zresztą, jaki tytuł nosi ta baśń. Nazywa się: *Wejdź w mój sen.*

A jednak, Georg, musiałem później skonfrontować się ze sposobem, w jaki ona mogła odebrać moje zachowanie. Również ja przez dłuższą chwilę trzymałem ją za rękę i patrzyłem jej głęboko w oczy. A co tymczasem robię, kiedy spotykamy się ponownie, tym razem po świątecznym nabożeństwie? Życzę jej „wesołych świąt", co jest nawet sensowne, ale nie wspominam o ostatnim spotkaniu. W dodatku pytam, czy nie jest w drodze na Grenlandię! Na lądolód grenlandzki, w saniach zaprzęgniętych w osiem psów, z dziesięcioma kilogramami pomarańczy. Co Dziewczyna z Pomarańczami mogła sobie o mnie pomyśleć? Może uznała, że mam rozdwojenie jaźni?

W każdym razie mówiliśmy obok siebie. Graliśmy w skomplikowaną grę w piłkę, której zasady były zbyt liczne. Strzelaliśmy i strzelaliśmy, ale piłka nigdy nie wpadła do bramki.

I w tej chwili, Georg, właśnie w tej chwili zza zakrętu od Akersgata wyjeżdża nagle wolna taksówka. Dziewczyna z Pomarańczami wyciąga prawą rękę, samochód się zatrzymuje, a ona do niego biegnie...

Przychodzi mi na myśl Kopciuszek, który z balu na zamku musi wrócić do domu, zanim zegar wybije północ, inaczej czar pryśnie. Myślę o księciu, który zostaje sam na zamkowym balkonie, opuszczony, samotny.

Powinienem był jednak zrozumieć, że tak się może stać. Dziewczyna z Pomarańczami musiała, rzecz jasna, wrócić do domu, zanim zadzwonią na święta. *Ta-*

kie bowiem były zasady. Dziewczyny z Pomarańczami nie mogą kręcić się po ulicach, kiedy dzwony właśnie obwieszczają nadejście świąt. Jakiż inny cel miałoby bicie w dzwony? Czyż zadaniem kościelnych dzwonów nie jest powstrzymanie młodych mężczyzn przed uleganiem czarowi rzucanemu przez Dziewczyny z Pomarańczami? Była za kwadrans piąta i wkrótce miałem zostać sam na opuszczonym przez Boga krańcu Øvre Slottsgate.

Myśli mi się kłębiły: mam tylko jedną sekundę na zrobienie albo powiedzenie czegoś rozsądnego, dzięki czemu Dziewczyna z Pomarańczami zapamięta mnie na zawsze.

Mogłem spytać, gdzie mieszka. Mogłem spytać, czy zmierzamy w tę samą stronę. Mogłem też czym prędzej wyciągnąć sto koron za te dziesięć kilo pomarańczy, w tym trzydzieści koron za straty moralne, nie wiedziałem przecież, czy dostała rabat. Żeby zaspokoić ciekawość, mogłem przynajmniej zapytać, dlaczego stale gromadzi takie ogromne ilości pomarańczy. Wprawdzie chomikowanie jedzenia nie jest rzeczą oryginalną, ale dlaczego akurat pomarańcze? Dlaczego nie jabłka albo banany?

W ciągu tej jednej sekundy udaje mi się jeszcze raz pomyśleć o przeprawie na nartach przez lądolód grenlandzki, o wielkiej rodzinie na Frogner, o wieńczącym semestr przyjęciu z wielkimi ilościami kremu pomarańczowego, a także o niemowlęciu, o maleńkiej Ranveig, która właśnie w tej chwili leży w ramionach muskularnego faceta, będącego jej tatusiem, tego samego, który zaledwie kilka tygodni temu zdał egzamin dyplomowy w Instytucie Zarządzania, a ponadto przed miesiącem został wybrany na prezesa męskiego klubu „Mili i Przystojni". Wydaje mi się, że w owej chwili nie starczyło mi już sił na złożenie ponownej wizyty w hałaśliwym przedszkolu. Wszystkie te dzieci wprawiły mnie w zdenerwowanie.

Nie udaje mi się jednak znaleźć właściwych słów, Georg, bo wybór jest za duży. Dlatego w chwili kiedy Dziewczyna z Pomarańczami wsiada do taksówki, wołam tylko: — Chyba cię kocham!

Powiedziałem prawdę, ale już w tym samym momencie pożałowałem swoich słów.

Taksówka odjechała. Ale Dziewczyna z Pomarańczami mimo wszystko do niej nie wsiadła. Zmieniła decyzję. Wolno idzie w moją stronę chodnikiem, unoszona z gracją siłą własnej woli, wsuwa dłoń w moją rękę, jakbyśmy przez ostatnie pięć lat nie robili nic innego, niż tylko trzymali się za ręce, i kiwa głową na znak, że znów mamy ruszyć przed siebie. Zaraz jednak podnosi na mnie wzrok i mówi: — Jak przyjedzie następna taksówka, chyba już będę musiała do niej wsiąść. Ktoś na mnie czeka.

Tak, tak, ten przystojniaczek i ten mały brzdąc, myślę sobie. A może mama i tata, ojciec jest zresztą pastorem — może to właśnie on odprawił nabożeństwo, z którego wyszliśmy — cztery siostry i dwóch braci, poza tym w mieszkaniu jest jeszcze mały szczeniak, to młodszy braciszek doprowadził wreszcie do tego swoim marudzeniem, ten, który ma na imię Petter. A może to raczej żylasty i humorzasty polarnik z pedantycznie zapakowanymi rękawicami, polarną bielizną, rakietami śnieżnymi, smarami do nart i słownikiem eskimosko-duńskim i duńsko-eskimoskim pod choinką. Oczywiście dziś wieczorem Dziewczyna z Pomarańczami nie wybiera się na żadną zabawę semestralną. Dzisiaj ma też wolne od pracy w przedszkolu.

— Wkrótce zadzwonią na święta — mówię. — Prawda? Ty nie możesz chodzić po mieście, kiedy już dzwony się rozdzwonią.

Nie odpowiada, tylko mocno, z czułością ściska mnie za rękę, jakbyśmy w stanie nieważkości unosili się w przestrzeni kosmicznej, jakbyśmy opili się intergalaktycznego mleka i mieli cały wszechświat tylko dla siebie.

Minęliśmy już Muzeum Historyczne i dotarliśmy do Parku Pałacowego. Wiem, że następna taksówka może nadjechać w każdej chwili. Wiem, że kościelne dzwony wkrótce obwieszczą nadejście świąt.

Zatrzymuję się i staję przed nią. Gładzę ją delikatnie po wilgotnych włosach i kładę rękę na srebrnej spince, jest lodowato zimna, lecz i tak ogrzewa całe ciało. Pomyśleć tylko, że to ja jej dotykam!

Pytam wreszcie: — Kiedy się znów zobaczymy?

Dziewczyna długo patrzy w asfalt, zanim w końcu podnosi wzrok na mnie. Źrenice jej tańczą niespokojnie, wydaje mi się, że drżą jej wargi. Potem daje mi zagadkę, nad którą później będę się długo zastanawiał.

— A jak długo możesz czekać? — pyta.

Co miałem odpowiedzieć na to pytanie, Georg? Może to była pułapka? Gdybym odpowiedział: „Dwa albo trzy dni", mógłbym okazać się zanadto niecierpliwy. Gdybym zaś odparł: „Całe życie", pomyślałaby, że albo nie kocham jej szczerze, albo też jestem po prostu nieszczery. Musiałem wypośrodkować.

Powiedziałem: — Mogę czekać, aż serce zacznie mi krwawić z żalu.

Uśmiechnęła się niepewnie. Przeciągnęła palcem po moich wargach. — A ile to może potrwać? — spytała.

Z rezygnacją pokręciłem głową i zdecydowałem, że powiem prawdę. — Być może tylko pięć minut.

Wyraźnie się ucieszyła z mojej odpowiedzi, ale odparła szeptem: — Dobrze by było, żebyś wytrzymał trochę dłużej.

Teraz to ja musiałem prosić o odpowiedź: — Jak długo?

— Musisz zaczekać na mnie pół roku — oświadczyła. — Jeśli zdołasz tyle wytrzymać, będziemy mogli się znów spotkać.

Wydaje mi się, że westchnąłem: — Dlaczego aż tak długo?

Dziewczyna z Pomarańczami zrobiła surową minę. Jak gdyby zmuszała się do okazania mi twardości. — Dlatego, że dokładnie tyle musisz czekać.

Zauważyła, jak ciężko opada na mnie rozczarowanie. Może właśnie dlatego dodała: — Ale jeśli ci się to uda, przez następne pół roku będziemy mogli spędzać razem każdy dzień.

Nagle rozdzwoniły się kościelne dzwony, a ja dopiero teraz oderwałem rękę od jej wilgotnych włosów i srebrnej spinki. Jednocześnie z Wergelandsveien wyjechała wolna taksówka. To się musiało kiedyś stać.

Tymczasem Dziewczyna z Pomarańczami patrzy mi w oczy, jakby o coś mnie prosiła, prosi mnie o zrozumienie, błaga, abym użył wszystkich swoich zdolności i całego rozumu. W oczach znów ma łzy. — No, to wesołych Świąt... Jan Olav! — wykrztusza. Potem biegnie, zatrzymuje taksówkę, wsiada do niej i macha do mnie wesoło. Ale powietrze przesycone jest przeznaczeniem. Dziewczyna nie odwraca się do mnie, kiedy samochód przyspiesza i wkrótce znika mi z oczu. Wydaje mi się, że płacze.

Byłem przytłoczony, Georg. Byłem w szoku. Wygrałem milion w lotto, lecz moje szczęście trwało zaledwie kilka minut, ponieważ zaraz ogłoszono, że na kuponie znalazł się błąd, więc wygranej mimo wszystko nie można wypłacić, a przynajmniej nie od razu.

Kim była ta nadprzyrodzona Dziewczyna z Pomarańczami? To pytanie zadawałem już wielokrotnie wcześniej. Teraz jednak pojawiła się jeszcze inna zagadka. *Skąd wiedziała, jak mi na imię?*

Dzwony wciąż biły, zarówno te w katedrze, jak i w innych kościołach w centrum, dzwoniły na święta Bożego Narodzenia. Na ulicach nigdzie nie było widać ludzi i być może właśnie dlatego kilkakrotnie wykrzyczałem mocnym głosem w grudniowe powietrze jedno i to samo pytanie, prawie jakbym śpiewał: — Skąd wiedziała, jak mi na imię? Równie natrętne było trzecie pytanie: dlaczego musi upłynąć aż pół roku, zanim zechce się znów ze mną zobaczyć?

Tak więc przede mną mnóstwo czasu na zastanawianie się nad tą kwestią. W miarę jak upływały dni, przybywało mi kolejnych możliwych odpowiedzi, nie wiedziałem tylko, która z nich jest przypadkiem prawdziwa. Miałem zaledwie kilka wskazówek, których mogłem się trzymać, lecz już wtedy byłem mistrzem w odczytywaniu znaków czy też stawianiu diagnozy. Być może ogarnął mnie zbyt wielki zapał. W ten sposób powstało stanowczo zbyt wiele równoległych hipotez.

Możliwe, że Dziewczyna z Pomarańczami była rzeczywiście poważnie chora i z tego powodu ktoś zalecił jej ścisłą kurację pomarańczową. Być może zamierzała całe następne półrocze spędzić na nieprzyjemnym leczeniu gdzieś w Ameryce albo w Szwajcarii, ponieważ w kraju nikt nie potrafił jej pomóc. W każdym razie ciągle napływały jej łzy do oczu, a zwłaszcza gdy odrywała się ode mnie. Wspomniała jednak także, że w drugiej połowie nowego roku, czyli od lipca do grudnia, będziemy mogli się widywać codziennie. Miałem więc najpierw czekać na Dziewczynę z Pomarańczami przez pół roku, a później spędzać z nią każdy dzień. Właściwie nie była to wcale taka zła umowa i pod tym względem nie miałem na co narzekać. Oznaczała mianowicie, że w nadchodzącym roku będziemy się widzieć równie często, jak byśmy się widywali co drugi dzień. A poza wszystkim: czy nie byłoby o wiele, wiele gorzej, gdybyśmy mieli najpierw widywać się codziennie przez pół roku, a potem już nigdy się nie zobaczyć?

Właśnie wtedy zacząłem studiować medycynę, a powszechnie wiadomo, że u studentów medycyny często rozwija się coś w rodzaju hipochondrii, zarówno w odniesieniu do siebie, jak i do innych, a wynika to z chęci właściwego odczytania znaków, z niemal detektywistycznego pragnienia postawienia diagnozy.

Nie jest też wcale rzeczą niezwykłą, że studenci teologii nabierają wątpliwości co do własnej wiary, studenci prawa zaś bardzo krytycznie odnoszą się do legislacji obowiązującej w kraju. Dlatego też starałem się dać wyraz własnej surowej dyscyplinie wewnętrznej i odrzucić pomysł, że Dziewczyna z Pomarańczami może być poważnie chora i czeka ją bolesna kuracja za granicą. I bez tego miałem dostatecznie dużo innych tropów, którymi mogłem się posuwać.

Uświadomiłem sobie na przykład, że nawet jeśli Dziewczyna z Pomarańczami naprawdę jest ciężko chora albo też postradała zmysły, to i tak nie tłumaczy, skąd wiedziała, jak mi na imię. No i coś jeszcze: dlaczego zaczynała płakać niemal za każdym razem, kiedy mnie widziała? Co takiego miałem w sobie, że robiło jej się tak niezmiernie smutno?

Mógłbym teraz bez najmniejszych zahamowań zająć się wtajemniczaniem Cię we wszystkie myśli, które snułem podczas tych świątecznych dni. Mógłbym na przykład zreferować Ci, co wymyśliłem na temat tamtej wielkiej rodziny, mieszkającej na Frogner. Albo też przedstawić Ci listę wszystkich swoich odpowiedzi na pytanie, dlaczego będę mógł spotkać się z Dziewczyną z Pomarańczami dopiero za pół roku. Jedna z nich, zresztą bardzo typowa w swoim rodzaju, sugerowała, że Dziewczyna z Pomarańczami jest po prostu za dobra dla tego świata. Dlatego właśnie w całkowitej tajemnicy wybrała się do Afryki, żeby przemycać żywność i lekarstwa dla najuboższych mieszkańców tego wielkiego kontynentu, zwłaszcza tam, gdzie szaleje malaria i inne paskudne choroby. Taka odpowiedź nie przynosiła jednak rozwiązania zagadki tego mnóstwa pomarańczy. Chociaż właściwie dlaczego nie? Może Dziewczyna z Pomarańczami chciała zabrać je ze sobą do Afryki? Dlaczego wcześniej o tym nie pomyślałem? Możliwe, że zainwestowała wszystkie oszczędności w wyczarterowanie całego samolotu transportowego typu Hercules.

Ale, Georg, obiecaliśmy już sobie, że będziemy iść tylko prawdziwymi śladami Dziewczyny z Pomarańczami. Gdybym miał Cię wtajemniczyć we wszystkie swoje myśli i fantazje na jej temat, jakie z czasem zaczęły mi chodzić po głowie, musiałbym siedzieć przy komputerze przez okrągły rok, a tyle czasu nie mam. Tak po prostu jest, chociaż świadomość tego bardzo boli.

Zresztą po co skupiać się na fantazjach? Dziewczyna z Pomarańczami kilkakrotnie popatrzyła mi w oczy, dwa razy wzięła mnie za rękę, a raz pogładziła mnie palcem po ustach, ale w istocie jedyną realną rzeczą, jakiej naprawdę mogłem się trzymać, były oszczędne słowa, które zamieniliśmy. W związku z tym ważne stało się uporządkowanie wypowiedzianych przez nas kwestii. Czym prędzej sporządziłem listę dialogową i uparcie wysilałem umysł, żeby właściwie ją odczytać.

A co Ty na to, Georg? Czy potrafisz: po pierwsze — odgadnąć, dlaczego kupowała aż tyle pomarańczy? Po drugie — wyjaśnić, dlaczego wtedy w kawiarni popatrzyła mi głęboko w oczy i wzięła mnie za rękę, nie mówiąc przy tym ani jednego słowa? Po trzecie — odpowiedzieć, z jakiego powodu tak bacznie przyglądała się każdej pomarańczy kupowanej na Youngstorget, jak gdyby chciała uniknąć, by znalazły się wśród nich dwie identyczne? Po czwarte — wyłapać jakieś znaki wyjaśniające, dlaczego mogliśmy się ponownie spotkać dopiero za pół roku. I po piąte — rozwiązać największą ze wszystkich zagadek, a mianowicie, skąd wiedziała, jak mi na imię?

Jeśli uda ci się rozwikłać ten rebus, to prawdopodobnie znajdziesz się na najlepszej drodze do odpowiedzi na najważniejsze ze wszystkich pytań: kim była Dziewczyna z Pomarańczami? Czy to jedna z nas? Czy też przybyła z zupełnie innej rzeczywistości, może z innego świata, do którego musi się udać na pół roku, nim będzie mogła wrócić tutaj i osiąść wśród nas na Ziemi?

Ja nie zdołałem odczytać znaków, Georg. Nie zdołałem postawić diagnozy.

Dziewczyna z Pomarańczami odjechała w górę Wergelandsveien, ale wkrótce pojawiła się druga taksówka i tę zatrzymałem ja. Pojechałem na Humleveien spędzić święta z rodziną.

Einar tamtej zimy miał tylko jedną namiętność, a była nią jazda na nartach na Tryvannskleiva. Wybrałem dla niego na gwiazdkę modne rękawice narciarskie i już cieszyłem się na tę chwilę, gdy po świątecznym obiedzie będzie je rozpakowywał. Postanowiłem też podarować puszkę luksusowego jedzenia jego kotu. Mama miała dostać głośny w tym czasie zbiór poezji autorstwa Finki piszącej po szwedzku Märty Tikkanen, zatytułowany *Saga o miłości stulecia*.

Dla ojca kupiłem powieść *Bieg śmierci* debiutującego norweskiego pisarza Erlinga Gjelsvika. Nieco wcześniej sam przeczytałem tę książkę i uznałem, że chyba nadaje się dla ojca. Ale przy kupowaniu tego prezentu kierował mną także inny powód: jako młody chłopak marzyłem, że sam będę kiedyś pisał. Może właśnie dlatego przeszywał mnie lekki dreszczyk emocji na myśl, że ofiaruję ojcu dzieło młodego debiutanta.

W tamtym czasie to zwykle ja nocowałem w maleńkim pokoiku przy salonie. Dzisiaj ten pokój należy od Ciebie. Przynajmniej w chwili pisania. Jeśli chodzi o chwilę czytania, to nic mi na ten temat nie wiadomo.

O tym, jak obchodziliśmy święta tamtego roku, nie będę się rozpisywał, zgodnie z wytycznymi, jakie sobie wyznaczyliśmy odnośnie do tego opowiadania. Zdradzę tylko, że w noc wigilijną nie zmrużyłem oka.

Dotarłem zaledwie do połowy tego długiego listu od ojca, ale musiałem przerwać czytanie i wyjść do ubikacji. Sam sobie byłem winien. To oczywiście przez tę colę, której się opiłem.

Cholera, pomyślałem. Teraz będę musiał przejść przez salon, przedpokój i korytarz pod gradem zaciekawionych spojrzeń. Wydaje mi się, że to się nazywa „stanąć pod pręgierzem". Ale nie miałem innego wyjścia.

Zostawiłem wydruk na łóżku, otworzyłem drzwi i zamknąłem je za sobą na klucz. Klucz schowałem do kieszeni.

Wszyscy czworo na mój widok natychmiast się poderwali. Starałem się udawać, że nie przejmuję się tymi pytającymi spojrzeniami, którymi mnie obrzucili.

— Już skończyłeś? — nie wytrzymała mama. Wyglądała jak jeden wielki znak zapytania. Co ja takiego mogłem tam wyczytać?

— To pewnie trochę smutne? — powiedział domyślnie Jørgen. Jakby chciał pokazać, że jest mu mnie żal, ponieważ mój ojciec umarł, chociaż zawsze starał się jak umiał dobrze mi go zastąpić. No cóż, może i miło z jego strony. Nie mogło mu jednak być żal mamy, która straciła męża, bo jednocześnie zajął jego miejsce, żeby nie powiedzieć łóżko. Wydaje mi się, że Jørgen w głębi duszy cieszył się ze śmierci mego ojca. Przecież gdyby stało się inaczej, nie miałby mamy. Gdyby stało się inaczej, nie miałby Miriam. No i, dla ścisłości, gdyby stało się inaczej, nie miałby mnie. Jest takie powiedzenie: „Umarł król, niech żyje król".

Zauważyłem, że nalał sobie dużą szklankę whisky. Czasami wypija szklaneczkę, ale tylko w piątki i w soboty. A to był poniedziałek.

Nie wydaje mi się, żeby czuł się jakoś szczególnie głupio z tego powodu, że stoi w salonie z mocnym drinkiem w dłoni, a w każdym razie wcale nie dlatego o tym wspominam. Być może jednak poczuł się trochę zażenowany, kiedy zamknąłem się w swoim pokoju na klucz, żeby przeczytać coś, co napisał do mnie mój rodzony ojciec niedługo przed śmiercią, a na długo przed tym, zanim w tym domu znalazł się jakiś Jørgen. Kiedy byłem mniejszy, czasami nazywałem Jørgena „sublokatorem". To było dziecinne z mojej strony. Robiłem to wyłącznie po to, żeby się z nim drażnić.

— A może zostało ci coś jeszcze do przeczytania? — spytał dziadek. Zapalił cygaro. Zrozumiał, o co tu chodzi.

— Przeczytałem dopiero połowę — odparłem. — A teraz muszę iść do ubikacji.

— Ale czy podoba ci się to, co czytasz? — nie dawała mi spokoju babcia.

— Bez komentarza! — odparłem. Tak politycy oświadczają dziennikarzom, kiedy nie chce im się odpowiadać na trudne pytanie.

Podobieństwo między dziennikarzami a rodzicami polega na tym, że są równie ciekawscy. A podobieństwo pomiędzy politykami a dziećmi polega na tym, że stale zadaje im się delikatne pytania, na które nie zawsze łatwo odpowiedzieć.

Być może już czas przedstawić bliżej osoby, które są bohaterami tego opowiadania. Zacznę od mamy, ponieważ to ją mimo wszystko znam najlepiej.

Mama przekroczyła już czterdzieści lat i mogę ją scharakteryzować jako dojrzałą i samodzielną kobietę, a przynajmniej taką, która nie boi się mówić, co myśli. Poza tym jest bardzo „macierzyńska", i nie chodzi mi wyłącznie o to, jak zajmuje się Miriam. Ze mną też raczej się pieści, a czasami mówi do mnie tak, jakbym miał o dwa albo trzy lata mniej, niż mam w rzeczywistości. Z reguły po prostu nie zwracam na takie zachowanie uwagi, ale czasami potrafi mnie to porządnie przygnębić, na przykład kiedy przychodzą koledzy ze szkoły. Mam wtedy wrażenie, jakby mama się cieszyła, że może im zademonstrować, jakim jestem małym synkiem, choć tak naprawdę przerosłem ją już o kilka centymetrów. Kiedyś w salonie grałem w szachy z jednym z kolegów, Martinem, a mama podeszła do kanapy ze szczotką do włosów i zaczęła mnie czesać! Jasno i wyraźnie powiedziałem, co o tym myślę. Nie lubię się złościć na mamę — a wtedy nie tylko się rozzłościłem, wtedy się wściekłem — jednak musiałem wziąć pod uwagę, że całą sytuację obserwuje Martin, i chciałem mu pokazać, że potrafię wyznaczać granice. Mama wycofała się do kuchni, lecz dwadzieścia minut później wróciła z czekoladą na gorąco i świątecznym ciastem. Martin zachwycony aż gwizdnął, ale mnie po tym, co się stało wcześniej, było głupio, że tak nam dogadza. Mało brakowało, a pobiegłbym do kuchni, sprawdzić, czy w lodówce nie ma piwa. Pomyślałem, że nawet jeśli nie znajdę piwa, to wiem przynajmniej, gdzie stoi butelka whisky Jørgena. Na szczęście Martin ma poczucie humoru i oczywiście musieliśmy później porozmawiać o tym, co się stało. Wydaje mi się, że nabrał nieco większego szacunku dla mamy, kiedy mu powiedziałem, że mama wykłada studentom w Państwowej Akademii Sztuk Pięknych. — Jeśli pojawi się jakiś nowy Picasso — oświadczyłem — to będziesz już wiedział, od kogo nauczył się malować. Po wcześniejszych wydarzeniach w moim własnym interesie było podnieść trochę autorytet mamy w oczach Martina.

Trudno jest opisywać własną mamę, zwłaszcza gdy chodzi o jej słabostki i uzależnienia, lecz jest rzeczywiście coś, co ją wyróżnia. Mama uwielbia lukrecję, mam na myśli lukrecję w każdej postaci. Wszędzie znajduję pochowane lukrecjowe łódeczki, pudełka lukrecji Fazera albo tak zwane angielskie cukierki, czyli lukrecję w piance. Ostatnio zaczęła się z tym ukrywać, ponieważ i Jørgen, i ja zajęliśmy się tym problemem i musiała spojrzeć w oczy swojemu brzydkiemu zwyczajowi. Jørgen uważa, że od jedzenia lukrecji można się nabawić wysokiego ciśnienia. Możliwe, że to przesada, ale w każdym razie mama posunęła się do tego, że ilekroć idziemy razem do miasta, a ona kupi sobie torebkę lukrecjowych łódeczek albo porcję angielskich cukierków, wymusza ode mnie przyrzeczenie, że nie powiem nic Jørgenowi.

Gdybym miał określić najmocniejszą stronę mamy za pomocą dwóch słów, to musiałbym powiedzieć „dobry humor". Należy przy tym jednak dodać, że jej najsłabszą stroną jest „zły humor". Niezbyt często zdarza mi się doświadczać pośrednich stanów pomiędzy tymi dwoma skrajnymi punktami. Mama jest z reguły w naprawdę świetnym humorze, lecz od czasu do czasu potrafi być okropnie skwaszona. Zawsze jest więc w jakimś humorze, nigdy obojętna. Ulubione zdanie mamy to: „Przed pójściem spać zagramy sobie jeszcze partyjkę w karty".

Teraz kolej na Jørgena. Jørgen ma tylko metr siedemdziesiąt wzrostu, a więc dokładnie tyle samo co mama, nie jest więc olbrzymem jak na dorosłego mężczyznę. Wiele osób uznałoby taki niski wzrost za pewne upośledzenie, a skoro tak, to nie jest ono jedyne, ponieważ Jørgen jest jeszcze dodatkowo rudzielcem. Skórę ma bladą, latem nigdy nie bywa opalony, tylko czerwony i poparzony od słońca. No i te rude włosy, nawet na rękach rosną mu rude. Wspominałem też już, że doskonale wie, co jest modne, może nawet powinno się go nazwać elegancikiem. Nie każdy mężczyzna ma na półce w łazience trzy dezodoranty i cztery rodzaje wody po goleniu. Nie wszyscy też mieliby odwagę wybrać się do miasta w jasnożółtej kurtce z wielbłądziej wełny i czarnym jedwabnym szaliku. Ale tak właśnie ubiera się Jørgen. A najgorsze, że to do niego pasuje.

Pomimo tych cech pracuje jako śledczy w Centrali Policji Kryminalnej! Stale nam przypomina, że ma „obowiązek dochowania tajemnicy", ale nie zawsze mu się udaje utrzymać język za zębami. Przynajmniej parę razy się zdarzyło, że poznałem kilka istotnych szczegółów dotyczących wielkich spraw kryminalnych, zanim napisały o nich gazety. Jørgen okazuje mi zaufanie. To dobra cecha. On wie, że nie rozpowiem dalej żadnych policyjnych tajemnic.

Jørgen to taki typ, któremu się wydaje, że wie, gdzie ma stanąć szafa, ale nie zawsze ma rację. Niedawno wybraliśmy się do Ikei i kupiliśmy nową szafę ubraniową, która miała stanąć w moim pokoju. (Wcześniej było sporo marudzenia o tym, że moje rzeczy są porozrzucane po całym domu. Oczywiście to lekka przesada, bo przecież nigdy nie zostawiłem nawet jednej skarpetki na piętrze. Prawdą jest też, że moja noga praktycznie tam nie staje). Zmontowanie szafy z Ikei zabrało całe popołudnie, a ustawienie jej na miejscu — cały wieczór. Jørgen mianowicie twierdził, że szafa powinna stanąć przy samej ścianie za drzwiami, z czym ja się absolutnie nie zgadzałem. Byłem zdania, że szafa musi stanąć przy oknie, chociaż o pół centymetra zasłoni widok. Powiedziałem, że to mój pokój i nie obchodzi mnie utrata pół centymetra widoku. Przypomniałem też Jørgenowi, że mieszkam w tym domu o wiele dłużej niż on, i oświadczyłem, że bezcelowe jest posiadanie szafy, której nie można otworzyć, kiedy otwarte są drzwi do salonu. Oczywiście postawiłem na swoim, ale Jørgen nie odzywał się do mnie prawie całą następną dobę, a kiedy wreszcie przestał mnie ignorować, widać było, że się do tego zmusza.

Najmocniejszą stroną Jørgena jest chyba to, że gotów jest poświęcić niemal cały swój wolny czas na zrobienie ze mnie sportowca. Twierdzi, że wszyscy ludzie rodzą się z mięśniami, ale mięśni trzeba używać. Jego najsłabszą stroną musi natomiast być chyba to, że nie chce zaakceptować faktu, iż ja mam inne plany na życie niż sport. Mam wrażenie, że Jørgen niezbyt wysoko ceni moje nieustanne ćwiczenia sonaty „Księżycowej". Ulubione powiedzenie Jørgena to bez wątpienia: „Liczą się przede wszystkim chęci!".

Zanim powiem coś o babci i dziadku ze strony ojca, muszę podkreślić, że znam ich bardzo dobrze, a przynajmniej równie dobrze jak Jørgena, dawniej bowiem sporo czasu spędzałem u nich w Tønsberg. Szczególnie często bywałem u dziadków w tym czasie, kiedy mama i Jørgen związali się ze sobą. Miałem wtedy zaledwie dziesięć lat. Wydaje mi się, że mamie i Jørgenowi nie udałoby się zostać prawdziwą parą, gdyby nie mieli możliwości wyprawienia mnie z domu na kilka dni czy tygodni. Nie mówię tego po to, żeby się skarżyć, wprost przeciwnie. Zawsze lubiłem wizyty w Tønsberg. Poza tym cieszę się, że mama i Jørgen mieli dość oleju w głowie, żeby oszczędzić mi wstępnej fazy ich związku, czyli samego etapu flirtu. I tak do wielu rzeczy musiałem się przyzwyczajać. Raz poszedłem na piętro, żeby powiedzieć im dobranoc, a oni leżeli w łóżku pod kołdrą i się obściskiwali. Nie chciałem na to patrzeć, odwróciłem się więc i po cichutku zszedłem na dół. Może zareagowałbym inaczej, gdyby Jørgen był moim prawdziwym ojcem. A może nie? Właściwie wcale nie uważałem tego za takie obrzydliwe. Ale mogli przynajmniej zamknąć drzwi do sypialni. Mogli powiedzieć, że idą spać. Nie musiałbym wtedy czuć się tak głupio. Nie musiałbym czuć się wtedy taki samotny.

Babcia ma prawie siedemdziesiąt lat i większą część życia zajęła jej praca nauczycielki śpiewu. Kocha każdą muzykę, ale najwyżej ceni Pucciniego. Za swoje zadanie życiowe babcia uważa nakłonienie mnie do polubienia „Cyganerii", ale ja, szczerze mówiąc, uważam, że opera włoska to słodka zupa, a „Cyganeria" nie jest wcale żadnym wyjątkiem, to jedna wielka mieszanina miłości z gruźlicą. Poza tym babcia bardzo kocha przyrodę, zwłaszcza ptaki. Uwielbia wszelkie owoce morza, na przykład wymyśliła specjalną sałatkę ze skorupiaków, którą nazywa „sałatką tønsbergską". (Krewetki, mięso krabów i klopsiki rybne. Oryginalne są tu klopsiki). Ponadto każdej jesieni koniecznie zabiera mnie do Tjøme na grzyby. Najmocniejsza strona: babcia zna nazwy wszystkich ptaków i dokładnie wie, gdzie się lęgną. Najsłabsza strona: nie potrafi (niestety) nic ugotować, nie śpiewając przy tym jakiejś arii Pucciniego. Nie próbowałem jej od tego odzwyczaić, a szczerze powiedziawszy, nie podejmowałem takiego ryzyka, ponieważ babcia świetnie gotuje. Ulubione powiedzenie: „No siadaj, Georg, to sobie pogadamy".

Dziadek, zanim przeszedł na emeryturę, pracował jako główny meteorolog kraju i wciąż nie porzucił swoich dawnych zainteresowań, bo codziennie kupuje gazetę „VG" jedynie po to, żeby dyskutować na temat prognozy pogody przedstawionej przez Siri Kalvig. Dziadek pali cygara, ale, cytując jego własne słowa, tylko od święta. Najwyraźniej każdą moją wizytę w Tønsberg definiuje jako święto, podobnie jak każdą wyprawę łodzią. Jest bardzo wesołym i skłonnym do żartów facetem, żeby nie powiedzieć tryskającym humorem, i nigdy nie boi się wygłaszać swoich opinii. Jeśli uważa, że babcia ma brzydką fryzurę, komentuje to bez skrupułów. Ale nie waha się też przed pochwaleniem babci za ładne uczesanie. Letnią połowę roku dziadek poświęca swojemu krążownikowi wód przybrzeżnych, a drugą połowę — gazetom. Od czasu do czasu pisze jakiś artykuł do „Tønsberg Blad" i chyba można go nazwać jedną z osobistości Tønsberg. Najmocniejsza strona: dziadek fenomenalnie zna się na morzu. Najsłabsza strona: czasami może się wydawać, że uważa się za króla Tønsberg. Ulubione powiedzonko: „Nam, bogatym, to dobrze!".

Parokrotnie wspomniany został również stryj Einar. Rozbawiło mnie, gdy przeczytałem, że tamtej jesieni, kiedy ojciec spotkał Dziewczynę z Pomarańczami, stryj miał tyle samo lat, ile ja mam teraz. Dzisiaj jest drugim oficerem na dużym statku handlowym i wciąż pozostaje kawalerem, ale plotki głoszą, że ma narzeczoną w każdym porcie. (Przez pewien czas podejrzewałem, że ma również narzeczoną na statku. Istniała w każdym razie jakaś „Ingrid", która przez pół roku pływała razem z nim, a potem nagle zrezygnowała z pływania). Stryj wiele razy obiecywał, że zabierze mnie swoim statkiem zagranicę, ale to na pewno tylko takie gadanie, bo na razie nic z tego nie wyszło. Najmocniejsza strona: prawdopodobnie najfajniejszy stryj w całej Norwegii. Najsłabsza strona: nigdy nie dotrzymuje obietnic. Ulubione powiedzonko: „Przecież ty jeszcze nie byłeś na morzu, człowieku!".

Pozostaje już tylko jedna osoba, za to najtrudniejsza do opisania, jest nią bowiem Georg Røed. Mam metr siedemdziesiąt cztery centymetry wzrostu, jestem więc o cztery centymetry wyższy od Jørgena. Przeczuwam, że nie jest tym zachwycony, lecz możliwe, że potrafi się wznieść ponad to(!) i nie zwracać na to uwagi. Jestem w środku tego chłopaka, nigdy więc nie mogę zobaczyć go poruszającego się po pokoju. Czasami jednak staję z nim twarzą w twarz, to znaczy wtedy, kiedy z rzadka patrzę w lustro. Może się to komuś wydać samochwalstwem, lecz muszę przyznać, że zaliczam się do tej części ludzkości, która jest jako tako zadowolona ze swojego wyglądu. Nie powiedziałbym, że jestem ładny, ale przynajmniej nie jestem bardzo brzydki. Trzeba się jednak pilnować. Czytałem gdzieś, że aż ponad dwadzieścia procent wszystkich kobiet uważa, że zalicza się do zaledwie trzech procent najpiękniejszych kobiet w kraju, ten rachunek więc w oczywisty sposób się nie zgadza. Nie wiem, ilu ludzi uważa się za należących do tych trzech procent najbrzydszych, ale bycie niezadowolonym ze swojego wyglądu, i to przez całe życie, musi być okropne. Mam szczerą nadzieję, że Jørgenowi nie jest stale przykro z powodu rudych włosów i zaledwie stu siedemdziesięciu centymetrów od ziemi. Czasem się nad tym zastanawiam, ale nigdy nie ośmieliłem się spytać go wprost.

Jedyna rzecz na kształt zmartwienia związanego z własnym wyglądem, jaka przychodzi mi do głowy, to żenujące pryszcze, które zaczęły mi się pokazywać na czole, i nie jest wcale żadną pociechą mówienie, że pozbędę się ich za cztery czy za osiem lat. Jørgen twierdzi, że mogą zniknąć po kilku porządnych wspólnych przebieżkach, ale ja się na to nie nabiorę. Głupio zresztą z jego strony, że tak powiedział, bo teraz już na pewno nie będzie mi się chciało razem z nim ruszyć. Jørgen jeszcze by pomyślał, że zacząłem biegać tylko dlatego, żeby się pozbyć pryszczy.

Odziedziczyłem niebieskie oczy po ojcu, mam jasne włosy, dość bladą skórę, ale latem mocno się opalam. Najmocniejsza strona: Georg Røed należy do tej części mieszkańców Ziemi, którzy naprawdę zrozumieli, że mieszkają na planecie na Drodze Mlecznej. Najsłabsza strona: marny podrywacz. Nie miałbym nic przeciwko wykazaniu się większą ofensywnością na tym froncie. Ulubione powiedzenie: „Owszem, dziękuję, proszę jedno i drugie".

Po wyjściu z łazienki musiałem jeszcze raz przemaszerować przez salon, ale tym razem nikt z dorosłych nic nie powiedział. Wyraźnie się w tej kwestii umówili. Otworzyłem kluczem drzwi do tego samego pokoju, który kiedyś był pokojem ojca, potem znów zamknąłem je za sobą na klucz i rzuciłem się na łóżko. Bardzo chciałem się już dowiedzieć, kim była tajemnicza Dziewczyna z Pomarańczami. Oczywiście, jeśli mój ojciec w ogóle jeszcze kiedyś ją spotkał. Ale musiała przecież istnieć jakaś przyczyna, dla której opowiedzenie mi o niej było dla niego takie ważne. Najwyraźniej powinienem o czymś się dowiedzieć, o czymś niezwykle istotnym, co ojciec pragnął przed śmiercią przekazać synowi.

Wciąż nie opuszczało mnie przeświadczenie, że Dziewczyna z Pomarańczami w taki czy inny sposób musi mieć związek z teleskopem Hubble'a, a przynajmniej ze wszechświatem i kosmosem. Na tę myśl znów naprowadziły mnie słowa ojca, które wydały mi się trochę dziwne. Przerzuciłem kilka stron do tyłu i przeczytałem jeszcze raz: *...tylko mocno, z czułością ściska mnie za rękę, jakbyśmy w stanie nieważkości unosili się w przestrzeni kosmicznej, jakbyśmy opili się do syta intergalaktycznego mleka i mieli cały wszechświat tylko dla siebie.*

Może Dziewczyna z Pomarańczami przybyła z innej planety? W każdym razie ojciec wspomniał, że pochodziła ze świata innego niż nasz. Może przyleciała w UFO? Ach, oczywiście, że nie! Nie wierzyłem w takie rzeczy, i mój ojciec z pewnością też w nie nie wierzył. Ale może ona sama tak myślała! To by było niemal równie złe.

Teleskop Hubble'a potrzebuje dziewięćdziesięciu siedmiu minut na jedno okrążenie Ziemi z prędkością dwudziestu ośmiu tysięcy kilometrów na godzinę. Dla porównania, pierwszy parowóz, jeżdżący pomiędzy Christianią a Eidsvoll, musiał mieć dwie i pół godziny na pokonanie tego sześćdziesięcioośmiokilometrowego dystansu. Obliczyłem, że daje to przeciętną prędkość około dwudziestu ośmiu kilometrów na godzinę. Teleskop Hubble'a jest więc tysiąc razy szybszy niż pierwszy pociąg w Norwegii. (Nauczyciel był zdania, że to bardzo pomysłowe porównanie).

Dwadzieścia osiem tysięcy kilometrów na godzinę! W takiej sytuacji rzeczywiście można mówić o nieważkim unoszeniu się w przestrzeni kosmicznej! I w samej rzeczy można chyba wtedy mówić o opiciu się „intergalaktycznym mlekiem", zwłaszcza gdy w każdej chwili pstryka się zdjęcia galaktyk odległych od Drogi Mlecznej o wiele milionów lat świetlnych.

Teleskop Hubble'a ma dwa skrzydła z panelami słonecznymi. Mierzą one dwanaście metrów długości, dwa i pół metra szerokości i zaopatrują satelitę w trzy tysiące watów. Ale te dwa gołąbki z katedry, zanim minęły Muzeum Historyczne i doszły do Parku Pałacowego, z całą pewnością nie siedziały każde na swoim skrzydle teleskopu Hubble'a i nie miały dla siebie całego wszechświata. Chociaż kto wie, może były w siódmym niebie?

Wziąłem plik kartek i zacząłem czytać dalej.

Pomiędzy świętami Bożego Narodzenia a Nowym Rokiem nie podejmowałem żadnych starań, zmierzających do odszukania Dziewczyny z Pomarańczami. Pozwoliłem, żeby ogarnął mnie spokój świąt. Ale już na początku stycznia działałem pełną parą. Byłem w świetnej formie.

Podjąłem kilkaset prób odnalezienia dziewczyny, lecz żadna nie doprowadziła mnie do celu, dlatego też nie mam o czym opowiadać. Jestem pewien, że już się przyzwyczaiłeś do rytmu i logiki tej opowieści.

Niemniej jednak zrobię jeden wyjątek, a ma on związek z pewnym ważnym momentem, który uciekł mi z pamięci, gdy sporządzałem dla Ciebie listę zagadek do rozwiązania. Stary anorak, Georg! Co z nim?

Przecież to przede wszystkim on naprowadził mnie na myśl o długiej i niebezpiecznej wędrówce na nartach przez lądolód grenlandzki. To przez niego w pewnym momencie na początku całej tej historii doszedłem do wniosku, że Dziewczyna z Pomarańczami może być bardzo uboga. Przede wszystkim jednak świadczył o tym, że lubi rekreację na świeżym powietrzu.

Tej zimy więc wiele razy chodziłem na narty i być może właśnie dzięki tym narciarskim wyprawom, zarówno do lasów wokół Oslo, jak i w góry, moje ciało zdołało przez kilka miesięcy utrzymać tę złośliwą chorobę na pewien dystans. Nie zamierzam jednak opowiadać tutaj o wyprawach narciarskich, ponieważ nigdy nie natknąłem się na Dziewczynę z Pomarańczami ani w lesie, ani na trasach, ani też w Kikut, Stryken czy Harestua. Ale na początku marca zbliżała się Niedziela Holmenkollen. Na myśl o mających się odbyć wielkich zawodach w skokach narciarskich nie posiadałem się z radości. Miałem wrażenie, że wszystkie kawałki układanki wskakują na swoje miejsca, że całe puzzle się układają. Jakbym już miał jedenaście trafień w zakładach piłkarskich i pozostawał tylko jeden mecz, a jego wynik był z góry przesądzony.

Jeśli pogoda dopisze, to na zawody w Niedzielę Holmenkollen przychodzi ponad pięćdziesiąt tysięcy ludzi. Znaczny odsetek ludności Oslo ciągnie więc tego dnia na skocznię. A jak myślisz, jaki wśród tej części mieszkańców Oslo jest procent ludzi, którzy stale chodzą w starych anorakach? Moim zdaniem bliski stu.

Wybrałem się na Holmenkollen w tę niedzielę, pogoda była nie najgorsza, a to już połowa sukcesu. Miałem ponad pięćdziesiąt tysięcy szans na spotkanie Dziewczyny z Pomarańczami. Jedno też mogę ci przysiąc: owej marcowej niedzieli tam, na dachu Oslo, nie brakowało starych anoraków, stawiły się wszystkie bez wyjątku. Taka Niedziela Holmenkollen to prawdziwy raj dla starych górskich anoraków we wszelkich możliwych wyblakłych od słońca odcieniach. Nie zerknąłem więc nawet na samą skocznię, dość miałem zajęcia z bacznym przyglądaniem się wszystkim tym anorakom. Wielokrotnie już odkrywałem Dziewczynę z Pomarańczami i za każdym razem w piersi wzbierał mi prawdziwy okrzyk kibica, lecz to nigdy nie była naprawdę ona. Parokrotnie dostrzegłem także tamtą baśniową srebrną klamrę, lecz okazywało się, że nie należy do niej.

Jej tam nie było, Georg. Taki był wynik moich poszukiwań. I jedynie to tam zauważyłem. Nie zorientowałem się nawet, kto wygrał. W tę Niedzielę Holmenkollen zwróciłem uwagę wyłącznie na fakt, że nie ma tam Dziewczyny z Pomarańczami. Miałem oczy szeroko otwarte wyłącznie na to, czego nie zobaczyłem.

Od tamtej pory byłem na Holmenkollen tylko jeden raz. Nie wiem, czy gdzieś Ci teraz dzwoni. Czy możliwe, żeby pozostało Ci jakieś niejasne wspomnienie czegoś, co razem przeżyliśmy, kiedy miałeś ledwie trzy i pół roku?

W tym roku to Ty i ja staliśmy na równi pod skocznią i oglądaliśmy zawodników. Pogoda w ten marcowy dzień była zupełnie wyjątkowa. Niezwykły, ciepły wiatr omiótł kraj, przynosząc ze sobą niemal letnie temperatury. Cały śnieg na wielkie zawody w skokach narciarskich trzeba było z tego powodu przewieźć przez pół Norwegii, a mówiąc dokładniej, z wysokich gór, z Finse. W tym roku złoto przypadło Jensowi Weissflogowi. Było to wielkie rozczarowanie dla norweskiej publiczności, chociaż nie stanowiło wielkiego zaskoczenia, ponieważ przed rokiem także zwyciężył Jens Weissflog.

Zwierzę Ci się z pewnej małej tajemnicy. Również w ten ciepły marcowy dzień blisko pół roku temu, kiedy we dwóch wybraliśmy się na Holmenkollen, znów raz po raz przyłapywałem się na wypatrywaniu Dziewczyny z Pomarańczami. Minęło ponad dziesięć lat, lecz tamto rozczarowanie wciąż we mnie tkwiło.

Mam mało czasu, synu. Ale nie tylko z tego powodu przeskakuję kilka tygodni. Po prostu nie mam o nich nic więcej do powiedzenia.

Któregoś dnia pod koniec kwietnia nieoczekiwanie wyjąłem ze skrzynki na listy śliczną widokówkę. Zdarzyło się to w pewną sobotę, kiedy przyszedłem odwiedzić rodziców na Humleveien. Kartka nie została więc wysłana na Adamstuen, gdzie od kilku miesięcy mieszkałem razem z Gunnarem, chociaż zaadresowana była do mnie.

Posłuchaj teraz: na froncie pocztówki znajdowało się zdjęcie baśniowego gaju pomarańczowego i napis drukowanymi literami: PATIO DE LOS NARANJOS, co znaczy mniej więcej „Dziedziniec Pomarańczy", na tyle byłem w stanie zrozumieć hiszpański. Mówiłem Ci przecież już wcześniej, że potrafię odczytywać znaki.

Dziedziniec Pomarańczy! Serce o mało nie wyskoczyło mi z piersi. Istnieje coś takiego jak ciśnienie krwi, Georg. W sytuacjach ekstremalnych potrafi ono gwałtownie się podnieść, jednym skokiem. Niech ta świadomość jednak nie powstrzymuje Cię od wielkich przeżyć i silnych wrażeń, jest to bowiem zupełnie niegroźny stan. (Ale mimo wszystko nie chciałbym, żebyś kiedykolwiek zaczął uprawiać paralotniarstwo czy skoki ze spadochronem. Trzymaj się z dala przynajmniej od bungee!).

Odwróciłem kartkę. Została ostemplowana w Sewilli, a napisane na niej było tylko: *Myślę o Tobie. Dasz radę poczekać jeszcze trochę?*

Tylko te dwa zdania, ani podpisu, imienia czy nazwiska, ani też adresu nadawcy. Była jednak namalowana twarz — jej twarz, Georg, twarz wiewiórki. Wyglądała na namalowaną przez artystę, i to nawet wielkiego artystę.

W zasadzie aż tak bardzo mnie to nie zaskoczyło. Oczywiste, że Dziewczyna z Pomarańczami przebywała na Dziedzińcu Pomarańczy, inaczej być nie mogło. Najzwyczajniej w świecie pojechała do domu, do swego własnego królestwa, do samej Krainy Pomarańczy. Aż nazbyt dobrze zgadzało się to ze wszystkimi moimi wyobrażeniami. Czyż Dzieciątko Jezus również nie pozostało w świątyni, aby być w domu swego ojca?

Nic już nie było trudne do zrozumienia. Wszystkie zagadki się rozwiązały. Wszystkie pasjanse wyszły. W Krainie Pomarańczy Dziewczyna z Pomarańczami przez pół roku miała hołdować swoim wyrafinowanym, niemal artystycznym zainteresowaniom dla różnorodności pomarańczy, po to, by później, miejmy nadzieję, być w stanie się od nich oderwać i, dotrzymując naszej umowy, spędzić ze mną następne pół roku. Potem być może znów będzie zmuszona jechać do swego królestwa, by tam zaczerpnąć tchu, ale to już zupełnie inna historia.

Nie posiadałem się z radości, mój mózg zaczął w nadmiarze wytwarzać substancje, które my, medycy, nazywamy endorfinami. Istnieje słowo, którym określa się ten niemal chorobliwy stan radości. Mówimy, że pacjent jest w euforii. Właśnie taki stan mnie wtedy ogarnął. W rezultacie pognałem do rodziców, oboje siedzieli w ogrodzie zimowym, mama w zielonym bujanym fotelu, a ojciec na starym szezlongu, skryty za sobotnią gazetą. Wpadłem do nich i oświadczyłem, że się żenię. Tak właśnie powiedziałem, wyjaśniłem, że mam zamiar się ożenić. Nie powinienem był tego robić, ponieważ zaledwie kwadrans później nadeszło załamanie. Mózg zaprzestał produkcji endorfin i moja euforia minęła. Niczego przecież nie rozumiałem. Wiedziałem jeszcze mniej niż kiedykolwiek.

Dziewczyna z Pomarańczami już wcześniej zdradziła, że zna moje imię. Okazało się jednak, że zna również nazwisko. Co więcej, Georg: w Krainie Pomarańczy miała również zapisany adres domu na Humleveien. I co Ty na to? Ta świadomość była piękna, ta świadomość była w pewnym sensie słodka, bez względu na prawdziwe wyjaśnienie tej zagadki. Ale czyż nie przygnębiała jednocześnie myśl, że wybrała się aż do Hiszpanii, ani jednym słowem nie wspominając mi o swoim wyjeździe w ciągu tamtych magicznych minut, kiedy szliśmy w stronę Parku Pałacowego, trzymając się za ręce, zanim rozdzwoniły się dzwony obwieszczające nadejście świat Bożego Narodzenia i Kopciuszek musiał czym prędzej wskoczyć do karety, nim przemieni się w dynię?

Od tamtego dnia upłynęło już trzy i pół miesiąca, a ja miałem za sobą co najmniej dwadzieścia pięć wycieczek narciarskich, żeby nie powiedzieć akcji poszukiwawczych.

Ale może Dziewczyna z Pomarańczami odwiedziła również Maroko, Kalifornię i Brazylię? Pomarańcza to obecnie roślina użytkowa o zasięgu globalnym, Georg, i moim zdaniem powinna zostać kanonizowana jako najważniejszy owoc w naturze. Może Dziewczyna z Pomarańczami pracowała jako tajny agent UNIO, Inspektoratu do spraw Pomarańczy przy ONZ? Czyżby pojawiła się jakaś zupełnie nowa paskudna choroba drzewek pomarańczowych? Może właśnie dlatego Pomarańczowa Dziewczyna stale chodziła na Youngstorget i badała stan zdrowia pomarańczy? Może dlatego co tydzień pobierała próbki?

A może wybrała się aż do Chin? Dawno już stwierdziłem, że norweskie słowo *appelsin*, czyli pomarańcza, znaczy tyle co „chińskie jabłko". Pomarańcze pierwotnie pochodziły właśnie z Chin. Jeśli jednak nawet Dziewczyna z Pomarańczami wybrała się na pielgrzymkę do Chin, gdzie kiedyś rozwinął się pierwszy na ziemi kwiat pomarańczy, to przecież i tak nie mogłem wysłać jej pocztówki zaadresowanej tylko *Dziewczyna z Pomarańczami, Chiny*. Chińskiemu listonoszowi zbyt trudno byłoby ją odnaleźć wśród ponad miliarda ludzi. Sam z całą pewnością zdołałbym to zrobić, nie miałem jednak żadnej gwarancji, że chiński listonosz wykaże się takim samym zapałem jak ja.

Okey, Georg, musimy brnąć dalej.

Oderwałem się na kilka dni od studiów, pożyczyłem od rodziców tysiąc koron i zdobyłem tani bilet lotniczy do Madrytu. W Madrycie przenocowałem u wuja dawnego kolegi z klasy. Następnego dnia wcześnie rano poleciałem dalej do Sewilli.

Nie mogłem mieć całkowitej pewności, że odnajdę tam Dziewczynę z Pomarańczami, lecz obliczyłem, że moje szanse są takie same, jak na spotkanie jej na Holmenkollen. Było też coś jeszcze: wiedziałem, że nawet jeśli nie spotkam jej w Sewilli, nie stanę z nią twarzą w twarz, to przynajmniej będę wiedział, że niedawno tu była, na przykład przed dalszą podróżą do Maroka. Tak czy owak, doświadczę podróżowania do Krainy Pomarańczy i będę mógł chłonąć to samo kwaskowate pomarańczowe powietrze, którym ona oddychała, będę chodził tymi samymi ulicami co ona, może będę siedział na tych samych ławkach. Już sama myśl o tym stanowiła wystarczający powód wyjazdu. Nie wykluczałem poza tym, że znajdę gdzieś jakiś ważny, zostawiony przez nią ślad, na przykład na Dziedzińcu Pomarańczy, jeśli w ogóle mnie tam wpuszczą. Wyobrażałem sobie, że takiego świętego miejsca strzec będą wały i fosa, złe psy i czujna straż.

Ale już trochę ponad pół godziny od wylądowania w Sewilli mogłem spacerowym krokiem wejść na Dziedziniec Pomarańczy. Leżał przytulony do wielkiej katedry i był pięknym zamkniętym gajem pomarańczowym, niemal wzorcowym ogrodem. Drzewka pomarańczowe obsypane przejrzałymi owocami rosły tu w równiutkich szeregach.

Ale Dziewczyny z Pomarańczami nie było. Prawdopodobnie wybrała się na krótką przechadzkę do miasta. Na pewno wkrótce wróci...

Usiłowałem myśleć rozsądnie. Próbowałem sobie tłumaczyć, że nie powinienem liczyć na spotkanie Dziewczyny z Pomarańczami od razu, być może w ogóle nie nastąpi to w ciągu pierwszych paru dni. Dlatego zostałem w pomarańczowym gaju nie dłużej niż trzy godziny. Ale przed odejściem na wszelki wypadek na starej fontannie pośrodku Dziedzińca Pomarańczy zostawiłem dla niej liścik. Napisałem w nim: *Ja też o Tobie myślę. Nie, nie mogłem już dłużej czekać.* Przyłożyłem karteczkę kamykiem.

Nie podpisałem tego listu, nie napisałem nawet, do kogo jest adresowany, ale dodałem mały szkic własnej twarzy. Nie przypominał jej nawet na jotę, ale miałem przekonanie, że kiedy Dziewczyna z Pomarańczami znajdzie liścik, będzie wiedziała, kogo ma wyobrażać ten rysunek. Z całą pewnością wróci tu już niedługo. A bez wątpienia zagląda w to miejsce od czasu do czasu odebrać pocztę.

Dopiero mniej więcej po godzinie od chwili zostawienia liściku pod kamieniem, kiedy od dawna już spacerowałem po mieście, ze zdumieniem zdałem sobie sprawę z tego, że być może popełniłem okropne głupstwo.

Dziewczyna z Pomarańczami powiedziała: *Musisz zaczekać na mnie pół roku. Jeśli zdołasz tyle wytrzymać, będziemy mogli się znów spotkać.* Spytałem, dlaczego muszę czekać aż tak długo. A ona odpowiedziała po prostu: *Dlatego, że dokładnie tyle musisz czekać. Ale jeśli ci się to uda, przez następne pół roku będziemy spędzać razem każdy dzień.*

Rozumiesz już, Georg? Nie zastosowałem się do reguł. Nie zdołałem czekać na nią pół roku. Dlatego jej obietnica, że będziemy mogli spędzać razem każdy dzień w następnym półroczu, już się nie liczyła.

Uroczysta umowa, którą zawarliśmy, była niezwykle prosta i przejrzysta, tylko okropnie trudna do dotrzymania. Ale wszystkie baśnie rządzą się swoimi zasadami, ba, być może to właśnie zasady odróżniają daną baśń od innych. Nigdy nie trzeba rozumieć takich zasad. Trzeba się tylko ich trzymać. Jeśli dzieje się inaczej, obietnice się nie spełniają!

Rozumiesz, Georg? Dlaczego Kopciuszek musiał wrócić do domu z balu na zamku, zanim wybiła północ? Nie mam pojęcia, i Kopciuszek z pewnością też go nie miał. Ale o takie rzeczy nie wolno pytać, kiedy człowiek już pozwolił się zaczarować i sprowadzić do najcudowniejszego królestwa z marzeń. Należy po prostu zaakceptować warunki, nawet jeśli są niepojęte. Skoro Kopciuszek chce dostać księcia, musi uciec z balu, zanim zegar wybije północ. Tak po prostu jest, zostało to powiedziane głośno i wyraźnie. Musi trzymać się zasad. Inaczej straci suknię balową, a karoca zmieni się w dynię. Kopciuszek pilnuje więc, żeby znaleźć się w domu przed północą i prawie mu się to udaje, po drodze gubi jedynie pantofelek. O dziwo, właśnie dzięki temu książę na koniec odnajduje ukochaną. To złe siostry nie trzymały się zasad i spotkał je naprawdę zły los.

W tej baśni obowiązywały zupełnie inne reguły. Gdyby tylko udało mi się trzy razy z rzędu zobaczyć Dziewczynę z Pomarańczami z wielką torbą pomarańczy w ramionach, mogłaby być moja. Ale musiałem także ujrzeć ją choć przez chwilę w samą Wigilię, a co więcej, popatrzyć jej także w oczy dokładnie w chwili, gdy dzwony zabiją na święta, a jednocześnie dotknąć przy tym magicznej srebrnej spinki. Później pozostawała jeszcze tylko jedna próba, której musiałem podołać: znaleźć dość sił, żeby nie widywać się z nią przez pół roku. Nie pytaj dlaczego, Georg. Po prostu takie były reguły. Gdybym nie podołał temu ostatniemu, decydującemu etapowi, czyli trzymaniu się z dala od Dziewczyny z Pomarańczami przez pół roku, moje wcześniejsze wysiłki obróciłyby się wniwecz i wszystko by przepadło.

Pognałem z powrotem na Dziedziniec Pomarańczy. Mój liścik jednak zniknął, ale nie było wcale pewne, że to ona go zabrała. Równie dobrze mógł go zwinąć jakiś norweski turysta.

W chwili gdy dostrzegłem kamyk, który położyłem na karteczce — tej zabranej — przyszło mi do głowy coś nowego. Dało mi to pewną nadzieję, chociaż nie trzymałem się zasad. Co o tym myślisz, Georg: Dziewczyna z Pomarańczami pierwsza wysłała do mnie kartkę, ponieważ miała mój adres. Potem ja w odpowiedzi napisałem do niej wiadomość, a ponieważ nie znałem żadnego adresu, pod który mogłem ją wysłać, musiałem zanieść swój list pocztą kurierską na ten sam Dziedziniec Pomarańczy, z którego ona mnie pozdrawiała.

Czy w pewnym sensie nie byliśmy sobie równi? Czy ona także nie złamała reguł? Co o tym sądzisz, Georg? Możesz tak samo jak ja próbować odczytać zasady obowiązujące w tej baśni.

Z drugiej jednak strony: mimo wszystko prosiła mnie, żebym zdołał *poczekać jeszcze trochę*. Właściwie tylko odnowiła pakt. A ja odpowiedziałem, że nie jestem w stanie zaakceptować warunków, czyli że nie chcę dłużej trzymać się zasad. Napisała: *Myślę o Tobie. Dasz radę poczekać jeszcze trochę?*

Ale, Georg: jeśli odpowiedź na to pytanie brzmiała, że nie dam rady, to jak, jej zdaniem, miałem postąpić?

Nie potrafiłem tego rozstrzygnąć. Za bardzo się zaangażowałem. Teraz po prostu musiałem ją znaleźć.

Nigdy przedtem nie byłem w Sewilli, a nawet w ogóle w Hiszpanii. Wkrótce jednak ruszyłem za strumieniem turystów do starej żydowskiej dzielnicy. Nazywa się ona Santa Cruz i może się komuś wydać jednym wielkim obszarem świątynnym, poświęconym pomarańczy jako roślinie użytkowej. Wszystkie place i rynki Santa Cruz były w każdym razie otoczone drzewkami pomarańczowymi.

Chodziłem z placu na plac, nie znajdując Dziewczyny z Pomarańczami, aż w końcu usiadłem w jakiejś kawiarni, znalazłem wolne krzesło w cieniu bujnego drzewka pomarańczowego. Zajrzałem już na wszystkie place w Santa Cruz i doszedłem do wniosku, że ten jest najładniejszy. Nazywał się Plaza de la Alianza.

Siedziałem i rozważałem następującą kwestię: jeśli szuka się jakiejś osoby w wielkim mieście, a nie ma się pojęcia, gdzie ta osoba może się znajdować, to czy lepiej kręcić się i przenosić z miejsca na miejsce, czy większą szansę na spotkanie tej osoby ma się, siedząc w jakimś centralnym punkcie i czekając, aż poszukiwana osoba się pojawi?

Przeczytaj to ostatnie zdanie dwa razy, zanim wyrobisz sobie jakąś opinię, Georg. Jeśli o mnie chodzi, to doszedłem do następującego wniosku: najpiękniejsza dzielnica Sewilli to Santa Cruz, a najwspanialszy plac tej dzielnicy to Plaza de la Alianza. Jeśli Dziewczyna z Pomarańczami była choć trochę podobna do mnie, to prędzej czy później powinna pojawić się w wybranym przeze mnie miejscu. Spotkaliśmy się w pewnej kafejce w Oslo. Spotkaliśmy się też w katedrze. Oboje byliśmy obdarzeni zdolnością przypadkowego wpadania na siebie.

Postanowiłem więc, że się stąd nie ruszę. Godzina była zaledwie trzecia, mogłem więc siedzieć na Plaza de la Alianza jeszcze osiem godzin. Nie uważałem tego wcale za długie czekanie. Przed wyjazdem z Oslo zamówiłem miejsce w małym pensjonacie, położonym w pobliżu. Powiedziano mi tam, że muszę przyjść przed północą, bo później zamykają drzwi. (Nawet w pensjonatach w Hiszpanii obowiązują pewne zasady, których należy się trzymać!). Postanowiłem, że jeśli Dziewczyna z Pomarańczami nie pojawi się do dziesiątej tego pierwszego wieczoru, przesiedzę na tym samym placu również cały następny dzień. Mogłem czekać na nią od wschodu do zachodu słońca.

Czekałem i czekałem. Siedziałem i przyglądałem się wszystkim ludziom przychodzącym na plac i odchodzącym, zarówno miejscowym, jak i przyjezdnym. Uświadomiłem sobie, że świat to piękne miejsce. Znów ogarnęła mnie euforia związana ze wszystkim, co mnie otacza. Kimże bowiem jesteśmy my, którzy tu żyjemy? Każdy człowiek na tym placu był niczym żywy kufer skarbów, pełen myśli i wspomnień, marzeń i tęsknot. Sam znajdowałem się w samym sercu mego własnego życia na ziemi, lecz to oczywiście dotyczyło również wszystkich innych ludzi obecnych na placu, na przykład kelnera. Jego praca polegała na obsługiwaniu wszystkich, którzy zechcą usiąść w tej właśnie kawiarni, ale kiedy zamówiłem czwartą filiżankę kawy, mogłem się domyślić, że uznał, iż trochę już za długo okupuję stolik, upłynęły trzy albo cztery godziny, odkąd przy nim usiadłem. W każdym razie gdy po upływie kolejnej półgodziny moja czwarta filiżanka kawy została opróżniona, zjawił się prędko i uprzejmie spytał, czy mam życzenie zapłacić. Ale ja nie mogłem stąd odejść, przecież czekałem na Dziewczynę z Pomarańczami, na wszelki wypadek zamówiłem więc dużą porcję *tapas* i colę. Żadnego piwa czy wina, dopóki Dziewczyna z Pomarańczami się nie zjawi, pomyślałem, razem wypijemy przecież szampana. Ale Dziewczyna z Pomarańczami się nie zjawiła. Nadeszła siódma i teraz czułem się wręcz zmuszony poprosić o rachunek. W jednej chwili zrozumiałem, jaki byłem naiwny. Upłynęło już wiele dni, odkąd ze skrzynki na listy w domu na Humleveien wyjąłem kartkę z Sewilli, a przecież samo jej dotarcie do Norwegii też musiało pochłonąć co najmniej równie długi czas.

Dziewczyna z Pomarańczami wydawała się tak samo nieosiągalna jak przedtem. Oczywiście miała inne, ważniejsze zajęcia niż bawienie się ze mną w kotka i myszkę, może studiowała hiszpański w Salamance albo w Madrycie? Uregulowałem rachunek w kawiarni, byłem gotów do wyjścia. Czułem się rozczarowany własnym brakiem trzeźwości osądów i z kulą w gardle postanowiłem już następnego dnia rano wyjechać do Norwegii.

Nie wiem, czy kiedykolwiek doznałeś intensywnego uczucia, że wysilałeś się na próżno. Może wyprawiłeś się z domu i brnąłeś po śniegu i błocie do miasta, żeby kupić coś naprawdę potrzebnego, i dotarłeś do sklepu dwie minuty po jego zamknięciu? Takie przypadki są bardzo przykre, a człowieka najbardziej złości jego własna głupota. Dopadło mnie teraz właśnie takie, niemal żenujące uczucie, że przybyłem tu na próżno, a nie przyjechałem przecież tramwajem. Wybrałem się aż do Sewilli, jedyną moją wskazówką była widokówka, nie znałem tu nikogo i nie mówiłem po hiszpańsku, wkrótce przyjdzie mi nocować w jakimś podrzędnym pensjonacie. Miałem nieprzepartą ochotę mocno się puknąć w głowę, chociaż taki gest z pewnością wyglądałby bardzo głupio i tym bardziej miałbym się czego wstydzić, obiecałem więc sobie, że ukarzę się inaczej, i to na wiele sposobów. Mogłem na przykład poprzysiąc, że bez względu na rozwój wydarzeń w moim życiu nigdy więcej nie będę miał do czynienia z tą „Dziewczyną z Pomarańczami".

Ale ona przyszła, Georg. Było już pół do ósmej, a ona nieoczekiwanie pojawiła się na Plaza de la Alianza!

Cztery i pół godziny po tym, jak usiadłem w kawiarni pod drzewkiem pomarańczowym, Dziewczyna z Pomarańczami ukazuje się na pomarańczowym placyku. Oczywiście nie jest ubrana w stary anorak, bo w Andaluzji panuje klimat subtropikalny. Ma na sobie letnią sukienkę jak z baśni, równie ognistoczerwoną co rosnąca przy wysokim murze bugenwilla, której się z daleka przyglądałem. Może pożyczyła tę sukienkę od Śpiącej Królewny, pomyślałem, albo ściągnęła ją od jednej z wróżek?

Dziewczyna z Pomarańczami mnie nie widzi. Nad placem zaczyna już zapadać zmrok. Jest ciepło, nawet gorąco, lecz ja i tak marznę, mam dreszcze.

Zaraz jednak — niczego nie mogę Ci oszczędzić, Georg — orientuję się, że ona nie przyszła na plac sama. Towarzyszy jej młody człowiek. Wygląda na około dwudziestu pięciu lat, jest wysoki i przystojny, ma dużą jasną brodę. Do złudzenia przypomina polarnika. W największe zaś zakłopotanie wprawia mnie fakt, że wcale nie wygląda na niesympatycznego.

A więc przegrałem. Ale to moja wina. Nie trzymałem się zasad. Złamałem uroczystą obietnicę. Wdarłem się w coś, co nie należy do mnie, w baśń, która nie dzieli się ze mną swoimi regułami. — Musisz zaczekać na mnie pół roku — powiedziała Dziewczyna z Pomarańczami. — Jeśli zdołasz wytrzymać tak długo, będziemy mogli się znów spotkać...

W chwili, gdy mnie zauważają, muszę wyglądać jak piec, z którego Kopciuszek wygarniał popiół, nim zjawił się książę i uwolnił ją spod jarzma macochy i złych sióstr. Napisałem „oni mnie zauważają", ponieważ to wcale nie

Dziewczyna z Pomarańczami dostrzega mnie pierwsza. Pierwszy zwraca na mnie uwagę mężczyzna z brodą. (Potrafisz coś z tego pojąć, Georg? Ja nie mogłem). Łapie Dziewczynę z Pomarańczami za rękę, wskazuje na mnie i mówi tak głośno i wyraźnie, że wszyscy ludzie na placu to słyszą: — Jan Olav! Po akcencie poznaję, że to Duńczyk. Nigdy wcześniej go nie widziałem.

To, co się dzieje teraz, trwa zaledwie krótką chwilę, ale spróbuj, proszę, to sobie wyobrazić. Dziewczyna z Pomarańczami dostrzega mnie siedzącego pod drzewkiem pomarańczowym. Przez kilka sekund stoi jak wryta przy wielkiej fontannie na środku placu i tylko się we mnie wpatruje, lecz jest jak sparaliżowana i już po pierwszej sekundzie wygląda tak, jakby stała w tej samej pozycji od godziny albo dwóch i nie była w stanie ruszyć się z miejsca. W końcu jednak odrywa się od ziemi. Królewna Śnieżka spała przez sto lat, ale wreszcie budzi się z powrotem do życia, jakby by od chwili, gdy zapadła w sen, minęło zaledwie pół sekundy. Podbiega do mnie, zarzuca mi rękę na szyję i tylko powtarza to, co już powiedział Duńczyk: — Jan Olav!

Teraz kolej na Duńczyka, Georg. Niespiesznie podchodzi do stolika, przy którym siedzę, podaje mi mocną dłoń i mówi życzliwie: — Miło cię spotkać w żywej postaci, Jan Olav! Dziewczyna z Pomarańczami już usiadła na krześle przy stoliku, a Duńczyk kładzie jej rękę na ramieniu i mówi: — No, to ja spadam. Z tymi słowami usuwa się, wycofuje, odwraca się tyłem i, szurając nogami, idzie przez plac tą samą drogą, którą przyszedł. Zaraz znika. A więc się go pozbyliśmy. Dobre wróżki trzymają moją stronę.

Dziewczyna z Pomarańczami siedzi po przeciwnej stronie stolika. Obie dłonie wsunęła w moje. Uśmiecha się ciepło, może odrobinę wzburzona, ale ciepło.

— A więc nie wytrzymałeś — mówi. — Nie potrafiłeś na mnie czekać!

— To prawda — przyznaję. — Bo teraz już serce krwawi z żalu.

Patrzę na nią, wciąż się uśmiecha. Ja także staram się uśmiechnąć, ale nie bardzo mi się to udaje.

— Czyli przegrałem zakład — dodaję.

Ona się zastanawia, aż w końcu mówi: — Czasami w życiu trzeba umieć trochę potęsknić. Napisałam do ciebie. Chciałam dać ci siłę, żebyś potęsknił jeszcze trochę.

Czuję, że ramiona mi drgają. — To znaczy, że przegrałem — powtarzam.

— W każdym razie wykazałeś się nieposłuszeństwem — odpowiada mi, uśmiechając się niepewnie. — Ale być może coś jeszcze da się uratować.

— Jak?

— Tak samo jak przedtem. Wszystko zależy od tego, ile masz cierpliwości.

— Nic nie rozumiem — mówię.

Z czułością ściska moje dłonie. — Czego ty nie rozumiesz, Jan Olav — mówi tylko, szepcze, prawie samym oddechem.

— Zasad — odpowiadam. — Nie rozumiem zasad.

I tak zaczęła się długa rozmowa.

Georg! Nie ma potrzeby, żebym referował Ci dokładnie wszystkie słowa, jakie padły między nami tamtego wieczoru i nocy, zresztą nie byłbym w stanie wszystkich sobie przypomnieć. Zdaję sobie poza tym sprawę, że ciśnie Ci się na usta szereg pytań, na które chciałbyś jak najszybciej otrzymać odpowiedź.

Sam chciałem najpierw wyjaśnić, skąd Dziewczyna z Pomarańczami znała moje imię i skąd wiedziała, gdzie mieszkają moi rodzice. Miało to związek z tą widokówką z Sewilli i było także ostatnią rzeczą, jaka się wydarzyła. Przez dłuższą chwilę patrzyłem na nią pytająco, a ona w końcu odparła łagodnie: — Jan Olav... Naprawdę mnie nie pamiętasz?

Przyglądałem jej się uważnie. Usiłowałem patrzeć na nią tak, jak gdybym widział ją po raz pierwszy w życiu. Nie tylko patrzyłem w te ciemne oczy, nie tylko bacznie się przyglądałem inteligentnej twarzyczce. Przesunąłem wzrokiem po nagich ramionach, pozwoliła mi na to, zerknąłem na cienką sukienkę. Niestety, przypomnienie jej sobie z jakiejś sytuacji zupełnie innej niż nasze nieliczne spotkania przed świętami Bożego Narodzenia nie było wcale łatwym zadaniem. Jeśli kiedyś wcześniej spotkałem Dziewczynę z Pomarańczami, to przywołanie tego spotkania w pamięci było teraz absolutnie niemożliwe, ponieważ w tej chwili potrafiłem skoncentrować się wyłącznie na tym, że jest nieskończenie piękna. To Bóg ją stworzył, pomyślałem, a może Pigmalion, grecki bohater mitów, który w marmurze wyciosał kobietę ze snów, a bogini miłości zlitowała się nad nim i ożywiła posąg. Kiedy ostatnio widziałem Dziewczynę z Pomarańczami, miała na sobie czarny zimowy płaszcz. Natomiast teraz była ubrana tak cienko, że poczułem się wręcz zakłopotany, wydawało mi się, że znalazłem się za blisko niej. Mimo wszystko, a może właśnie dlatego, nie potrafiłem jej rozpoznać.

— Spróbuj mnie sobie przypomnieć — powtórzyła. — Tak bardzo bym chciała, żebyś sobie z tym poradził.

— Możesz mi podrzucić jakieś hasło? — poprosiłem.

— Humleveien, ty wariacie!

Humleveien. Wyrosłem na Humleveien. Tam się urodziłem. Mieszkałem na Humleveien przez całe życie. Na Adamstuen przeniosłem się zaledwie pół roku wcześniej.

— Albo Irisveien — dodała.

To ta sama okolica. Humleveien zaczynała się przy Irisveien.

— No to Kløverveien!

Również ta ulica znajdowała się w sąsiedztwie. Kiedy byłem mały, często bawiłem się na rozległym skwerze między willami na Kløverveien. Znajdowało się tam spore wzgórze, porośnięte krzakami i drzewami. Wydaje mi się, że była także piaskownica i huśtawka. Kilka lat temu ustawiono tam kilka ławek.

Znów popatrzyłem na Dziewczynę z Pomarańczami. I nagle moje ciało przeszył skurcz. Mniej więcej tak musi się czuć człowiek wybudzony z głębokiej hipnozy. Mocno uścisnąłem ją za ręce, bardzo mocno. Mało brakowało, a wybuchnąłbym płaczem. Wykrzyknąłem: — Veronika!

Uśmiechnęła się szeroko. Ale nie jestem pewien, czy nie otarła też łzy w kąciku oka.

Długo patrzyłem jej w oczy, lecz od tej chwili nie było już uciekania wzrokiem. Nic już nie mogło mnie powstrzymać, pozbyłem się całego zawstydzenia. Nagle gotów byłem rozebrać się przed nią do naga. Byłem gotów oddać się Dziewczynie z Pomarańczami bezwarunkowo. Poczułem wielką ulgę.

Być może nie istnieje żaden inny rodzaj intymności, mogący konkurować z dwoma spojrzeniami, które spotykają się z mocą i zdecydowaniem, i które całkiem po prostu nie godzą się na oderwanie od siebie.

Dziewczyna o piwnych oczach mieszkała dawniej na Irisveien. Odkąd nauczyliśmy się chodzić, a przynajmniej odkąd zaczęliśmy mówić, spędzaliśmy razem niemal każdy dzień. Razem poszliśmy do szkoły, do tej samej klasy, ale po świętach Bożego Narodzenia w pierwszej klasie Veronika razem z rodziną wyprowadziła się z miasta. Mieliśmy wtedy po siedem lat. To było zaledwie przed dwunastoma, trzynastoma laty. Ale od tej pory się nie spotkaliśmy.

To my zawsze bawiliśmy się na wielkim wzgórzu przy Kløverveien wśród krzewów i kwiatów, ławek i drzew. Tam wiedliśmy razem wiewiórcze życie, tak, całe wiewiórcze życie. Gdyby Veronika nie wyprowadziła się wtedy z Irisveien, nasze beztroskie dzieciństwo i tak wkrótce by się skończyło. Już przedtem parę razy słyszałem na szkolnym podwórzu, że wolę się bawić z dziewczynkami.

Przypomniała mi się pewna piosenka, przyniesiona przez jedno z nas z domu, którą w trakcie zabawy stale podśpiewywaliśmy: *Czy jest tu chłopiec mały, co z dziewczynką bawić się chce? Bawilibyśmy się przez dzień cały, w naszym królestwie, w naszym śnie...*

— Ale ty mnie nie poznałeś — powiedziała teraz Veronika, a ja nie mogłem udawać, że nie usłyszałem rozczarowania w jej głosie. Nagle odezwała się do mnie siedmiolatka, a nie dorosła, dwudziestoletnia kobieta.

Musiałem znów na nią spojrzeć. Czerwona sukienka wydawała mi się nieopisanie śliczna i wzruszająca. Przez sukienkę widziałem, jak jej ciało oddycha, bo sukienka podnosiła się i opadała, podnosiła i opadała niemal jak fala bijąca o cudowną rajską plażę.

Podniosłem wzrok do góry i wśród liści drzewka pomarańczowego zobaczyłem żółtego motyla. To nie był pierwszy motyl, jakiego widziałem tego dnia. Spotkałem ich wiele.

Wskazałem go palcem i powiedziałem: — Jak mógłbym rozpoznać poczwarkę, kiedy już rozpostarła skrzydła i przemieniła się w motyla?

— Jan Olav! — skarciła mnie Veronika surowo. Więcej słów na temat przemiany dziecka w kobietę nie padło.

Wciąż miałem wiele pytań, na które nie znałem odpowiedzi. Spotkanie z Dziewczyną z Pomarańczami doprowadziło mnie niemal do szaleństwa, a przynajmniej ruszyło w posadach całe moje życie. Postawiłem więc na bezpośredniość.

— Spotkaliśmy się w Oslo. Widzieliśmy się trzy razy, a ja od tamtej pory właściwie o niczym innym nie myślę. Tymczasem ty zniknęłaś, przepadłaś. Trudniej cię było zatrzymać, niż złapać motyla gołymi rękami. Ale dlaczego musiało upłynąć aż sześć miesięcy, zanim mogłem cię znów zobaczyć?

Dlatego że zamierzała wyjechać do Sewilli, to oczywiste. Tyle już zrozumiałem. Ale dlaczego tak absolutnie konieczne było, aby przez pół roku mieszkała w Hiszpanii? Czy to może z powodu tego Duńczyka?

Z pewnością potrafisz odgadnąć, Georg, co mi teraz odpowiedziała. Ja nie potrafiłem, ale Ty miałeś okazję się przekonać, co jest największą namiętnością Veroniki. Przez cały czas pisania tej epistoły do Ciebie zadaję sobie pytanie, czy ten duży obraz, przedstawiający drzewka pomarańczowe, ciągle jeszcze wisi w przedpokoju. Ona zwykle — to znaczy w chwili, gdy to piszę — powtarza, że wyrosła z tego obrazu, ale ze względu na Ciebie mam nadzieję, że go nikomu nie oddała ani nie zaniosła na strych. Jeśli tak zrobiła, to uważam, że powinieneś ją o niego poprosić.

— Zostałam przyjęta do szkoły plastycznej, a ściślej mówiąc, do szkoły malarstwa — wyjaśniła Veronika. — Byłam zdecydowana ukończyć ten kurs, to dla mnie bardzo ważne.

— Szkoła malarstwa? — powtórzyłem zaskoczony. — Ale dlaczego nie mogłaś mi nic o tym powiedzieć w Wigilię?

Ponieważ nie wyjaśniła mi tego od razu, ciągnąłem: — Pamiętasz, jak padał śnieg? Pamiętasz, że pogładziłem cię po włosach? Pamiętasz, jak rozdzwoniły się dzwony akurat w chwili, kiedy nadjechała taksówka? I wtedy ty zniknęłaś!

— Pamiętam wszystko — odpowiedziała. — Zapamiętałam to jak film. Zapamiętałam to jak pierwsze sceny z bardzo... romantycznego filmu.

— Wobec tego nie rozumiem, dlaczego musiałaś być taka tajemnicza — zaprotestowałem.

Przez jej twarz przebiegł teraz cień powagi. — Wydaje mi się, że wpadłeś mi w oko już wtedy, kiedy się spotkaliśmy w tramwaju na Frogner. Być może powiesz, że widzieliśmy się na nowo, ale już w zupełnie inny sposób. Później zobaczyliśmy się jeszcze parę razy. Uznałam jednak, że wytrzymamy pół roku z dala od siebie. Doszłam do wniosku, że może nam tego potrzeba. Jako dzieci byliśmy sobie tacy bliscy. Ale teraz nie jesteśmy już dziećmi. Teraz mogło nam wyjść na dobre odrobinę za sobą potęsknić. Chodziło mi o to, że dobrze by się stało, byśmy nie zaczęli się znów ze sobą bawić wyłącznie pod wpływem starego przyzwyczajenia. Żebyś odkrył mnie na nowo. Chciałam, żebyś mnie poznał, tak jak ja cię poznałam. To dlatego nie zdradziłam, kim jestem.

Nie pamiętam dokładnie, co odpowiedziałem, nie pamiętam też wszystkiego, co mówiła Dziewczyna z Pomarańczami, ale w miarę rozwoju naszej rozmowy coraz częściej przeskakiwaliśmy z tematu na temat, czy też raczej od jednego do drugiego epizodu.

— A ten Duńczyk? — spytałem w pewnej chwili, którą uznałem za odpowiednią. Miałem takie uczucie, jakbym ją o coś błagał. To było niemądre. Poczułem się małostkowy.

Odpowiedziała mi krótko, wręcz surowo. — Ma na imię Mogens. Też się uczy w szkole malarstwa. Jest zdolny. Przyjemnie jest mieć towarzystwo innego Skandynawa.

Zakręciło mi się w głowie. — Ale skąd on wiedział, jak mi na imię? — spytałem.

Sam zadaję sobie teraz pytanie, czy ona się w tej chwili nie zarumieniła, ale nie wiem, może nie tak łatwo to było zauważyć z powodu tej czerwonej sukienki, poza tym zrobiło się już prawie zupełnie ciemno, jedynie kilka latarni z kutego żelaza rzucało złoty blask na opustoszały plac. Zamówiliśmy butelkę czerwonego wina z Ribera del Duero i siedzieliśmy każde ze swoim kieliszkiem w dłoni.

— Namalowałam twój portret. Tylko z pamięci, ale uchwyciłam podobieństwo. Mogensowi się podoba. Obraz nazywa się po prostu *Jan Olav*.

A więc to również Veronika namalowała swoją twarz na widokówce. Nie musiałem o to pytać. Coś jednak wciąż mnie dręczyło. — Czyli że to nie Mogens siedział w białej toyocie? — spytałem.

Roześmiała się i jak gdyby usiłowała zmienić temat. Powiedziała: — Nie uwierzyłeś chyba, że nie widziałam cię wtedy na Youngstorget? Przecież przyszłam tam ze względu na ciebie.

Tego nie rozumiałem. Uznałem, że Veronika mówi zagadkami. Ale ona ciągnęła: — Najpierw spotkaliśmy się w tramwaju na Frogner. Później powęszyłam trochę po mieście i dowiedziałam się, do której kawiarni zwykle zaglądasz. Nigdy wcześniej tam nie byłam, ale pewnego dnia usadowiłam się z kupionym wcześniej albumem z obrazami hiszpańskiego malarza Velázqueza. Siedziałam po prostu i przeglądałam album. Czekałam.

— Na mnie?

Wiedziałem, że to głupie pytanie. Odpowiedziała prawie z irytacją: — Nie sądzisz chyba, że tylko ty szukasz? Ja również stanowię część tej historii. To oczywiste, że nie jestem jedynie motylem, którego ty chcesz złapać.

Nie miałem śmiałości zagłębiać się bardziej w takie kwestie, na razie były zbyt niebezpieczne. Spytałem tylko: — A co z tym Youngstorget?

— Nie bądź dziecinny, Jan Olav. Przecież już ci to powiedziałam. Zadawałam sobie pytanie: Gdzie jest Jan Olav? I dokąd by poszedł, próbując mnie odszukać, to znaczy gdyby naprawdę chciał mnie odnaleźć, na przykład po tym, jak dwa razy spotkał mnie, dźwigającą wielką torbę pomarańczy? Nie mogłam być niczego pewna, ale być może szukałbyś mnie na największym targu owocowym w mieście. Chodziłam tam wiele razy, wypatrując ciebie. Ale bywałam również w innych miejscach. Poszłam na Kløverveien i na Humleveien. Raz nawet odwiedziłam twoich rodziców. Pożałowałam tego, gdy tylko otworzyli drzwi, ale co się stało, to się nie odstanie. Nie musiałam wcale mówić, jak się nazywam, zapamiętaj to sobie. Poznali mnie od razu. Zaprosili do środka, ale wymówiłam się brakiem czasu. Powiedziałam im, że zostałam przyjęta do szkoły malarstwa w Sewilli.

Nie wiedziałem, czy mogę jej wierzyć. — Nie wspomnieli mi o tym ani słowem — stwierdziłem.

Veronika uśmiechała się tajemniczo. Wydała mi się podobna do Mony Lizy, może dlatego, że przez cały czas miałem w podświadomości informację, że uczy się malować. Wyjaśniła: — Prosiłam, by mi obiecali, że nic ci nie powiedzą o mojej wizycie. Musiałam też wymyślić jakieś wytłumaczenie, dlaczego powinieneś o tym nie wiedzieć.

Zaniemówiłem. Zaledwie przed kilkoma dniami pokazałem rodzicom kartkę, która przyszła do mnie z Sewilli. Przecież wpadłem do nich i oświadczyłem, że zamierzam się ożenić. Dopiero teraz zdałem sobie sprawę, dlaczego tak chętnie pożyczyli mi pieniądze na bilet lotniczy. Ani razu nie spytali, czy to na pewno rozsądne wyjeżdżać do Sewilli w środku semestru tylko po to, żeby odnaleźć dziewczynę, którą kilka razy przelotnie spotkałem w Oslo.

Dziewczyna z Pomarańczami ciągnęła: — Nie zawsze łatwo jest znaleźć konkretnego człowieka w dużym mieście, a już zwłaszcza wpaść na niego ot tak, przypadkiem, chociaż się tego pragnie. A czasami właśnie tego się chce. Zamierzałam wyjechać na ten kurs i nie mogłam się z nikim związać tuż przed wyjazdem. Lecz jeśli dwoje ludzi nie robi właściwie nic innego, tylko się nawzajem wypatruje, to nie ma chyba nic dziwnego w tym, że w końcu przypadkiem się spotkają.

Zmieniłem temat. A właściwie jedynie miejsce akcji.

— Bywałaś już wcześniej na świątecznych nabożeństwach w katedrze? — spytałem.

Pokręciła głową. — Nie, nigdy. A ty?

Ja też pokręciłem głową.

— A ja się wybrałam na nabożeństwo już o drugiej — oznajmiła. — Później chodziłam po ulicach i czekałam na następną mszę. Tym razem musiałeś się pojawić. Było Boże Narodzenie, a ja miałam wkrótce wyjechać za granicę.

Wydaje mi się, że przez dłuższą chwilę siedzieliśmy, nic nie mówiąc. Był jednak pewien wątek, do którego musiałem powrócić.

— A więc to nie Mogens siedział w tej toyocie?

— Nie — odparła.

— Kto to więc był?

Zawahała się chwilę przed odpowiedzią. — Nikt — powiedziała w końcu.

Powtórzyłem: — Nikt?

— Taki tam mój dawny chłopak. W liceum chodziliśmy do jednej klasy.

Chyba się uśmiechnąłem, ale ona oświadczyła: — Nie możemy mieć na własność naszej przeszłości, Jan Olav. Pytanie, czy mamy wspólną przyszłość.

Powiedziałem teraz coś okropnie idiotycznego, może dlatego, że nie miałem odwagi uwierzyć w to, że Dziewczyna z Pomarańczami i ja możemy mieć wspólną przyszłość. — *To be two or not to be two, that is the question.*

Wydaje mi się, że ona również uznała to za trochę niemądre. Żeby załagodzić, zacząłem mówić o czymś zupełnie innym. — A te wszystkie pomarańcze? — wykrzyknąłem. — Do czego ci one były? No właśnie, po co ci były te wszystkie pomarańcze?

Roześmiała się serdecznie, a potem powiedziała: — Tak, na pewno zachodziłeś w głowę. Przecież dzięki pomarańczom zwabiłam cię na Youngstorget. Właśnie dzięki nim zacząłeś mówić o przejściu na nartach przez lądolód grenlandzki. Z ośmioma psami w zaprzęgu i dziesięcioma kilogramami pomarańczy.

Nie było powodu, żeby zaprzeczać. Powtórzyłem jednak: — Po co ci były te wszystkie pomarańcze?

Popatrzyła mi teraz w oczy, mniej więcej tak samo jak wtedy w kawiarni w Oslo. Wolno powiedziała: — Zamierzałam je malować.

— Malować? — Byłem naprawdę zaskoczony. — Wszystkie?

Z wdziękiem skinęła głową. — Musiałam wprawiać się w malowaniu pomarańczy przed wyjazdem do szkoły w Sewilli.

— Ale aż tylu?

— Tak. Musiałam namalować wiele pomarańczy. Właśnie to ćwiczyłam.

Pokręciłem głową z rezygnacją. Czyżby ona ze mnie kpiła? Spytałem: — Czy nie wystarczyło kupić jedną i próbować namalować tę samą kilka razy?

Przekrzywiła głowę i jakby z rezygnacją westchnęła: — Wydaje mi się, że w przyszłości będziemy mieli o czym rozmawiać, bo możliwe, że jesteś ślepy na jedno oko.

— Na które?

— Nie ma dwóch identycznych pomarańczy, Jan Olav. Nawet dwa źdźbła trawy nie są zupełnie identyczne. Przecież dlatego jesteś tu teraz.

Poczułem się głupio. Nie mogłem zrozumieć, o co jej chodzi. — Dlatego, że nie ma dwóch identycznych pomarańczy?

— Nie przyjechałeś przecież tak daleko, aż do Sewilli, ponieważ chciałeś spotkać „jakąś dziewczynę". To by oznaczało noszenie drew do lasu, bo przecież w całej Europie wprost roi się od dziewczyn, od lasów także. Ale ty przyjechałeś, żeby spotkać mnie. A ja jestem tylko jedna. Ja także nie wysłałam pozdrowień z Sewilli do „jakiegoś faceta" w Oslo. Wysłałam je do ciebie. Prosiłam, żebyś ze mnie nie rezygnował. Prosiłam, żebyś okazał mi odrobinę zaufania.

Siedzieliśmy i rozmawialiśmy jeszcze długo po zamknięciu kawiarni. Kiedy wreszcie wstaliśmy, Veronika przyciągnęła mnie do pnia drzewka pomarańczowego, pod którym siedzieliśmy, a może to ja ją pchnąłem, nie pamiętam tego zbyt dobrze. Ale to ona powiedziała: — Teraz możesz mnie pocałować, Jan Olav. Bo teraz wreszcie udało mi się ciebie złapać.

Położyłem jej ręce na łopatkach i lekko pocałowałem w usta. Zaprotestowała: — Nie, musisz mnie pocałować naprawdę. I masz mnie objąć!

Zrobiłem tak, jak mi rozkazała Dziewczyna z Pomarańczami. To ona wyznaczała reguły. Miała smak wanilii. Jej włosy pachniały świeżo jak cytrusy.

Ogarnęło mnie przekonanie, że w koronie drzewka pomarańczowego biegają dwie rozbawione wiewiórki. Nie wiedziałem, w co się bawią, ale w każdym razie były czymś szalenie zajęte.

Nie będę więcej pisał na temat tego wieczoru, Georg, chyba Ci tego oszczędzę. Musisz jednak wytrzymać i wysłuchać, jak skończyła się ta noc.

Nie zdążyłem do pensjonatu przed północą. Ale Dziewczyna z Pomarańczami wynajmowała od pewnej starszej pani maleńki pokoik z kuchenką. Na ścianach wisiały akwarele, przedstawiające kwiaty pomarańczy i drzewka pomarańczowe. A w kącie pokoju stał duży olejny obraz, mój portret. Tego obrazu nie skomentowałem, ona także. Byłoby to zbyt gwałtownym wdzieraniem się w magię tej baśni. Nie wszystko należało nazywać słowami. Takie były reguły. Pomyślałem jednak, że namalowała mi za duże i za bardzo niebieskie oczy. Tak jakby umieściła w nich całą moją osobowość.

Do późna w nocy leżałem i opowiadałem Veronice długie historie, pełne zabawnych szczegółów. Opowiadałem o chorowitej córce pastora, która miała cztery siostry, dwóch braci i nieposłusznego labradora. Opowiedziałem jej długą historię o dramatycznej podróży na nartach przez Grenlandię z ośmioma psami, zaprzęgniętymi do sań, i dziesięcioma kilogramami pomarańczy. Mówiłem o sprytnej dziewczynie, będącej tajnym agentem Inspektoratu do spraw Pomarańczy przy ONZ i prowadzącej odważnie samotną walkę z nowym, niezwykle niebezpiecznym wirusem, który zaatakował pomarańcze. Opowiedziałem jej wszystko, co wiedziałem o dziewczynie, która pracowała w przedszkolu i codziennie musiała chodzić na targ, żeby kupić trzydzieści sześć identycznych pomarańczy. Opisałem młodą kobietę, która zamierzała przygotować krem pomarańczowy dla setki studentów z Instytutu Zarządzania. Przedstawiłem historię całego życia dziewiętnastoletniej dziewczyny, będącej żoną jednego z tych studentów, która już zdążyła mieć z nim córeczkę, chociaż on w oczach wielu ludzi był po prostu odpychający. Opowiedziałem też o odważnej i ofiarnej dziewczynie, potajemnie przemycającej jedzenie i lekarstwa dla ubogich dzieci w Afryce.

Dziewczyna z Pomarańczami odwzajemniła się relacją kilku naszych wspólnych przeżyć z dzieciństwa na Humleveien i Irisveien. Ja niemal o wszystkim tym zapomniałem, ale przypominało mi się w miarę jej opowiadania.

Gdy się obudziliśmy, słońce stało wysoko na niebie. To ona przebudziła się pierwsza i nigdy nie zapomnę, jak budziła mnie. Nie wiedziałem już, co jest fantazją, a co rzeczywistością, może taki podział w ogóle przestał istnieć. Wiedziałem jedynie, że nie szukam już Dziewczyny z Pomarańczami. Już ją znalazłem.

Ja też już znalazłem Dziewczynę z Pomarańczami. Teraz już wiedziałem, kim jest, a powinienem był się tego domyślić dużo wcześniej, nim przeczytałem, że ma na imię Veronika...

Dotarłem mniej więcej do tego momentu, kiedy do drzwi znów zastukała mama. — Jest już pół do jedenastej, Georg — powiedziała. — Nakryliśmy do stołu. Dużo ci jeszcze zostało?

Odpowiedziałem nieco uroczystym głosem: — Kochana, droga Dziewczyno z Pomarańczami. Myślę o tobie. Dasz radę poczekać jeszcze trochę?

Stała za drzwiami, nie mogłem więc jej zobaczyć. Zorientowałem się jednak, że zamarła. Dodałem: — Czasami w życiu trzeba umieć trochę potęsknić.

Nie doczekałem się odpowiedzi, zacząłem więc: — *Czy jest tu chłopiec mały...*

Po drugiej stronie drzwi wciąż panowała zupełna cisza. Wkrótce jednak usłyszałem, że mama się do nich przyciska. Ściszonym głosem śpiewała w futrynę: — *...co z dziewczynką bawić się chce...*

Więcej nie była w stanie zaśpiewać, ponieważ się rozpłakała. Płakała szeptem.

Odszepnąłem: — *Bawilibyśmy się przez dzień cały, w naszym królestwie, w naszym śnie...*

Oddychała ciężko, ale zaraz spytała, pociągając nosem: — Czy on naprawdę pisze... o tym?

— Pisał — poprawiłem ją.

Nic na to nie odpowiedziała, ale po opuszczonej klamce poznawałem, że wciąż tam jest.

— Niedługo przyjdę, mamo — szepnąłem. — Zostało mi już tylko piętnaście stron.

Teraz też się nie odezwała. Może nie mogła nic powiedzieć. Nie miałem pełnej wiedzy o tym, jaką burzę wywołałem, być może, za tymi drzwiami.

Biedny Jørgen, pomyślałem. Wyjątkowo będzie musiał zaakceptować przesunięcie na drugi plan. Miriam spała. Tym razem rozmowa toczyła się pomiędzy moim ojcem, mamą a mną. Kiedyś to my byliśmy rodzinką z Humleveien. W salonie siedzieli poza tym dziadek i babcia, rodzice ojca, to oni kiedyś zbudowali ten dom. Jørgen przyszedł tu tylko z wizytą.

Przemyślałem dokładnie wszystko, co przeczytałem. Pewna ważna rzecz została już udowodniona. Ojciec mnie nie nabrał. Wcale nie zmyślił żadnej bajki o jakiejś Dziewczynie z Pomarańczami. Być może nie opowiedział o wszystkim. Ale wszystko, o czym opowiedział, było absolutną prawdą.

Nie mogłem sobie wprawdzie przypomnieć, żebym kiedykolwiek widział w przedpokoju jakiś obraz, na którym były drzewka pomarańczowe. Nie pamiętałem ani jednego obrazu przedstawiającego pomarańcze. Widziałem za to inne obrazy namalowane przez mamę. Widziałem akwarele, na których były bzy i wiśnie z naszego ogrodu.

O wielu podobnych sprawach będę musiał z nią porozmawiać. Albo sam poszukam na strychu. Zawsze jednak wiedziałem, że mama, kiedy była małą dziewczynką, mieszkała na Irisveien. Odwiedziłem nawet kiedyś ten żółty dom, żeby oddać list, który przez pomyłkę trafił do naszej skrzynki.

Być może dowiem się czegoś więcej o wszystkich obrazach z pomarańczami, jeśli poczytam dalej. Pozostawała też jeszcze jedna bardzo ważna rzecz: czy ojciec napisze coś więcej o teleskopie Hubble'a?

Teleskop Hubble'a otrzymał nazwę od nazwiska astronoma Edwina Powella Hubble'a. To on odkrył, że wszechświat się rozszerza. Najpierw stwierdził, że Wielka Mgławica Andromedy jest nie tylko chmurą pyłu i gazu w naszej Galaktyce, lecz że to całkiem odrębna galaktyka poza Drogą Mleczną. Stwierdzenie, że Droga Mleczna jest tylko jedną z wielu galaktyk, zrewolucjonizowało pogląd astronomów na przestrzeń kosmiczną.

Największego odkrycia Hubble dokonał w roku 1929, kiedy stwierdził, że im jakaś galaktyka jest bardziej oddalona od Drogi Mlecznej, tym szybciej zdaje się poruszać. To odkrycie stanowi absolutną podstawę tego, co nazywamy teorią Big Bang, czyli Wielkiego Wybuchu. Według tej teorii, podtrzymywanej obecnie przez niemal wszystkich astronomów, wszechświat powstał w wyniku ogromnej eksplozji, która miała miejsce 12–14 miliardów lat temu. To było dawno, bardzo dawno.

Gdyby wszystko, co się wydarzyło w historii wszechświata, wcisnąć w schemat czasowy jednej doby, to Ziemia powstałaby dopiero późnym popołudniem. Dinozaury pojawiłyby się kilka minut przed północą. A ludzkość istniałaby zaledwie od dwóch ostatnich sekund...

Nie znudziłeś się jeszcze, Georg?

Kolejny raz usiadłem przy komputerze, odprowadziwszy Cię wcześniej do przedszkola. Jest poniedziałek.

Byłeś dzisiaj trochę marudny. Zmierzyłem Ci temperaturę, ale nie miałeś gorączki. Zajrzałem Ci też do gardła i uszu, sprawdziłem węzły chłonne, ale nic złego nie zobaczyłem. Myślę, że jesteś tylko lekko przeziębiony i może odrobinę zmęczony po weekendzie.

Właściwie miałem nadzieję, że będziesz trochę bardziej chory, mógłbyś wtedy spędzić ze mną cały ten dzień. Ale ja przecież mam także to pisanie.

W weekend znów byliśmy w Fjellstølen. W sobotę rano mama wybrała się na długi spacer, wzięła ze sobą starą bańkę na mleko i przyniosła cztery kilo moroszek. Widząc to, trochę się pogniewałeś, Georg. Uparłeś się, że Ty też będziesz zbierał jagody w górach, i w ciągu popołudnia zdołałeś zupełnie samodzielnie zebrać pół kilo owoców bażyny. My, oczywiście, siedzieliśmy w domku i mieliśmy Cię cały czas na oku. Potem mama musiała ugotować galaretkę z bażyny. Zjedliśmy ją w niedzielę. Wydaje mi się, że była troszkę za kwaśna jak na Twój gust, ale przecież musiałeś ją jeść, skoro sam nazbierałeś owoców.

Tego lata widzieliśmy dużo lemingów, pozwoliliśmy Ci więc w kronice naszego domku narysować żółtą i czarną kredką leminga. Wyszedł bardzo ładny, przy odrobinie dobrej woli rzeczywiście da się zobaczyć, że narysowane przez Ciebie zwierzę to leming. Tylko ogon jest za długi. Na wszelki wypadek mama napisała LEMING pod rysunkiem. I dodała jeszcze: „Georg, 1/9 1990”.

Być może ta kronika wciąż jeszcze istnieje? Jest tak, Georg?

Prawie cały tamten wieczór spędziłem na przeglądaniu kroniki, od początku do końca. Ty już poszedłeś spać. Czytałem ją kilka razy. Gdy tylko przeczytałem ostatnie pozdrowienia i jeszcze raz obejrzałem Twój rysunek, zaczynałem czytać od początku. Liczyłem się z tym, że przed Bożym Narodzeniem to ostatni pobyt w domku w górach.

W końcu przyszła Veronika i wyjęła mi kronikę z rąk. Umieściła ją wysoko na półce z książkami, chociaż jej miejsce jest na półce nad kominkiem.

— Teraz napijemy się wina — powiedziała tylko.

Ale wróćmy do Hiszpanii.

Zostałem u Veroniki w Sewilli dwa dni. Potem musiałem wracać do domu, takiego zdania były zarówno Veronika, jak i jej gospodyni. Miałem przed sobą blisko trzy miesiące czekania, aż kurs w szkole malarstwa się skończy. Teraz jednak nauczyłem się tęsknić. Nauczyłem się zaufania do Dziewczyny z Pomarańczami.

Oczywiście nie mogłem się powstrzymać od spytania jej, czy dawna obietnica, że w następnej połowie roku będziemy razem spędzać każdy dzień, jest wciąż aktualna. Nie mogłem uznawać tego za pewnik, skoro sam złamałem zasady. Veronika długo się namyślała przed odpowiedzią. Wydaje mi się, że szukała sprytnego wyjścia. W końcu stwierdziła z uśmiechem: — Być może wystarczy odliczenie tych dwóch dni, które sobie tutaj skradłeś.

Po drodze, kiedy odprowadzała mnie do autobusu na lotnisko, zobaczyliśmy martwego białego gołębia leżącego w rynsztoku. Veronika zatrzymała się i zadrżała. Zdziwiłem się, że ten widok zrobił na niej takie wrażenie. Ale ona odwróciła się, wtuliła głowę w moją szyję i się rozpłakała. Ja też zacząłem wtedy płakać.

Byliśmy tacy młodzi. Znajdowaliśmy się w samym środku baśni. A w baśni martwy gołąb nie powinien leżeć w rynsztoku. W każdym razie nie powinien być biały. Takie były zasady. Płakaliśmy. Ten biały gołąb to był zły znak.

W Oslo znów skoncentrowałem się na studiach. Musiałem dużo powtarzać, bo w minionym tygodniu opuściłem wiele ważnych wykładów, poza tym nadrabiałem wszystko to, co zaniedbałem przez swoje wyprawy narciarskie i wałęsanie się po mieście w ostatnich miesiącach. Dzięki temu jednak, że nie musiałem już przeczesywać miasta w poszukiwaniu tajemniczej Dziewczyny z Pomarańczami, zaoszczędziłem wiele godzin. Nie miałem też potrzeby tracić sił na podrywanie dziewczyn. Wielu moim kolegom pochłaniało to dużo czasu.

Wciąż poruszał mnie widok czarnego damskiego płaszcza, a kiedy zrobiło się cieplej — czerwonej letniej sukienki. Za każdym razem, gdy widziałem pomarańczę, myślałem o Veronice. Przy robieniu zakupów potrafiłem zatrzymać się przy ladzie z pomarańczami i popaść w zadumę. Nauczyłem się znacznie lepiej zauważać, że nie ma dwóch identycznych pomarańczy. Potrafiłem się im przyglądać z chłodnym spokojem. A jeśli sam kupowałem pomarańcze, zawsze wybierałem te najładniejsze, poświęcałem na to dużo czasu. Niekiedy wyciskałem z nich sok, a raz przyrządziłem krem pomarańczowy, który zaserwowałem Gunnarowi i innym kolegom w pewien wieczór, kiedy siedzieliśmy w domu i graliśmy w brydża.

Gunnar był na drugim roku nauk politycznych i właściwie to on z nas dwóch pełnił funkcję kucharza. Stale serwował a to befsztyki, a to dorsza. Chociaż nigdy nie oczekiwał niczego w zamian, przyjemnie było go zaskoczyć kremem pomarańczowym. Włożyłem duszę w przygotowanie tego deseru. To mama, czyli Twoja babcia, pomogła mi znaleźć przepis w starej książce kucharskiej. Zaofiarowała się nawet, że sama przyrządzi krem. Skąd mogła wiedzieć, że cała sztuka polegała na tym, abym przygotował go własnoręcznie. Nie domyślała się chyba związku tego projektu z Veroniką.

Veronika wróciła z Sewilli w połowie lipca. Wyjechałem po nią na lotnisko Fornebu. Kiedy wreszcie po kontroli celnej wyszła z dwiema walizami i olbrzymią teczką pełną obrazów i rysunków, mnóstwo osób było świadkami wielkiej sceny powitania. Najpierw przez pół minuty staliśmy i tylko się na siebie patrzyliśmy, być może po to, by zademonstrować, że mamy dość silnej woli i potrafimy czekać na siebie jeszcze kilka sekund. Potem jednak stopiliśmy się w gorącym uścisku, przyznam, że może niestosownie gorącym, nawet jak na lotnisko. Minęła nas jakaś starsza pani, która warknęła w ramach komentarza: — Powinniście się wstydzić! My tylko się śmialiśmy. Przecież czekaliśmy na siebie pół roku.

Veronika nie mogła się powstrzymać i jeszcze w hali przylotów otworzyła teczkę z obrazami, żeby pokazać, co namalowała. Szybko przerzuciła portret „Jana Olava”, ale chociaż mignął mi tylko przez moment, znów zdążyłem zauważyć, że z oczu postaci na obrazie bije intensywne niebieskie światło. Nie mogłem nic na ten temat powiedzieć, ale Veronika miała mnóstwo zabawnych komentarzy do pozostałych obrazów. Trajkotała jak najęta. Chyba była dumna z obrazów, które mi pokazywała. Nie kryła, że w ciągu minionych sześciu miesięcy naprawdę się czegoś nauczyła.

Pozostała część lata upłynęła nam romantycznie. Wybraliśmy się na wyspy na Oslofjorden, pojechaliśmy na północ, zwiedzaliśmy muzea i wystawy, a w letnie wieczory późnego lata spacerowaliśmy willowymi uliczkami w dzielnicy Tåsen.

Szkoda, że jej nie widziałeś! Szkoda, że nie widziałeś, jak tanecznym krokiem krąży po mieście. Szkoda, że nie widziałeś, jak zachowuje się na wystawach. I szkoda, że nie słyszałeś, jak się śmiała. Ja też mogłem się śmiać do utraty tchu. Śmiech jest jedną z najbardziej zaraźliwych rzeczy, jaką znam.

Coraz częściej używaliśmy zaimka „my". To niezwykła forma. Mówi się: „Jutro zrobię to albo to". Albo zadaje się pytanie, co zrobi druga osoba, czyli „ty". Nietrudno to zrozumieć. Nagle jednak zaczyna się mówić „my" i to z największą oczywistością pod słońcem. „Popłyniemy łódką na Langøyene i będziemy się kąpać?". „A może zostaniemy w domu i poczytamy?". „Podobało nam się to przedstawienie w teatrze?". A pewnego dnia: „Jesteśmy szczęśliwi!".

Gdy używamy zaimka „my", stwierdzamy, że dwie osoby wspólnie wykonują jakąś czynność prawie tak, jakby stanowiły jedną złożoną istotę. W wielu językach istnieje *dualis*, czyli liczba podwójna, dotycząca dwóch — i tylko dwóch — osób lub rzeczy. Uważam ją za niezwykle pożyteczną, ponieważ podkreśla, że ludzie nie są ani sami, ani w grupie, tylko we dwoje, określa coś, co jest wspólne dla dwojga. W wyrażeniu „my dwoje" „my" nie da się oddzielić od „dwoje". Gdy wprowadzamy do naszego języka *dualis,* czyli liczbę podwójną, nagle, jak za dotknięciem czarodziejskiej różdżki, zaczynają obowiązywać zupełnie nowe, baśniowe reguły. „Teraz robimy obiad". „Teraz otworzymy butelkę wina". „Teraz idziemy spać". Czy mówienie w taki sposób nie jest wręcz bezwstydne? W każdym razie jest zupełnie czymś innym od stwierdzenia: „Musisz teraz pojechać autobusem do domu, bo ja idę się położyć".

„Idziemy na spacer!". To takie proste zdanie, Georg, zaledwie trzy słowa, lecz opisują pełen treści przebieg działania, sięgającego głęboko w życie dwojga ludzi na Ziemi. Można tu mówić o oszczędzaniu energii, i to nie tylko w odniesieniu do liczby wypowiadanych słów. „Kąpiemy się!" mówiła Veronika. „Jemy!". „Idziemy spać!". Kiedy się mówi w taki sposób, wystarczy tylko jeden prysznic. Wystarczy jedna kuchnia i jedno łóżko.

Dla mnie nowe użycie tego zaimka było szokiem. „My" — jakby koło się zamknęło. Jak gdyby cały świat stopił się w wyższą jednostkę.

Młodość, Georg, młodzieńcza beztroska!

Pamiętam też jednak ciepły sierpniowy wieczór, kiedy siedzieliśmy na Bygdøy i patrzyliśmy na fiord. Nie bardzo wiem, skąd mi się to wzięło, ale nagle wyrwało mi się: — Jesteśmy na świecie tylko ten jeden raz.

— Jesteśmy tu teraz — powiedziała Veronika, jak gdyby uważała, że jest o czym przypominać.

Ale ja uznałem, że próbuje skwitować to, co starałem się wyrazić. I dodałem: — W takie wieczory jak ten myślę o tym, że nie pozwolą mi żyć... Wiedziałem, że Veronika zna to zdanie z wiersza Olafa Bulla. Czytaliśmy go kiedyś razem.

Veronika gwałtownie obróciła się w moją stroną i dwoma palcami ścisnęła mnie za ucho: — Ale to znaczy, że tu byłeś. *Lucky you!*

Z nadejściem jesieni Veronika rozpoczęła studia na Akademii Sztuk Pięknych, a ja dalej studiowałem medycynę. Po pierwszych kursach przygotowawczych moje studia stawały się coraz bardziej interesujące. Popołudnia i wieczory spędzaliśmy razem tak często, jak tylko się dało, i dbaliśmy o to, żeby codziennie przynajmniej się zobaczyć. To znaczy Dziewczyna z Pomarańczami naprawdę odebrała sobie te dwa dni, które jej byłem winien, i miała je tylko dla siebie. Przypuszczam, że zrobiła to przede wszystkim dlatego, że chciała się ze mną podrażnić, a może by przykładnie mnie ukarać. Wciąż musieliśmy trzymać się zasad, ponieważ baśń jeszcze się nie skończyła, właściwie ledwie się zaczęła. Wokół nas narastało coraz więcej baśniowości i przybywało coraz więcej obowiązujących reguł. Pamiętasz, co powiedziałem o takich regułach? Chodzi o istotne rzeczy, które należy robić, lub przeciwnie — niektórych nie należy robić, lecz wcale przy tym nie trzeba ich rozumieć. Nie ma nawet potrzeby o nich rozmawiać.

Również w Oslo Veronika wynajęła pokoik z kącikiem kuchennym od starszej pani. W ramach czynszu musiała jedynie kosić jej trawnik latem, zimą odgarniać śnieg i kilka razy w tygodniu robić dla niej zakupy, włącznie z butelką portweinu raz w tygodniu. Ale ta staruszka, pani Mowinckel, bo tak się nazywała, zaakceptowała, że od czasu do czasu ja wyświadczam jej te przysługi. Dobrze się stało, bo dzięki temu łatwiej się pogodziła, że od czasu do czasu również nocuję u jej lokatorki. Za czynsz już przecież zapłaciłem.

Kiedy nadeszło Boże Narodzenie, znów poszliśmy na świąteczne nabożeństwo, czuliśmy się do tego zobowiązani. Veronika miała na sobie ten sam czarny płaszcz, a we włosach tę samą baśniową srebrną spinkę. Teraz również ja byłem częścią tej baśni, tej samej niezgłębionej mistyki. W tym roku usiedliśmy oczywiście w jednej ławce, a ja nie musiałem już się denerwować, w którą stronę oglądają się mężczyźni w kościele. W niczym mi nie przeszkadzało, że będą się oglądać za Veroniką, i kilku rzeczywiście się obejrzało. Byłem z tego dumny. A Veronika promieniała, była szczęśliwa. Ja oczywiście także byłem szczęśliwy. Może ona też czuła się trochę dumna.

Po wyjściu z nabożeństwa ruszyliśmy dokładnie tą samą drogą co przed rokiem. Uzgodniliśmy to już wcześniej. Już zdążyliśmy stać się tradycjonalistami. Niemal w całkowitym milczeniu poszliśmy w stronę Parku Pałacowego. Tylko tego, że będziemy milczeć, wcześniej nie uzgadnialiśmy, to przyszło samo z siebie.

Staliśmy objęci dokładnie w tym samym miejscu, z którego Veronika rok temu pobiegła do taksówki, ponieważ również w tym roku zamierzaliśmy się rozejść każde w swoją stronę. Veronika miała spotkać się z ojcem u starej ciotki na Skillebekk, a stamtąd chcieli razem pojechać do Asker, gdzie mieszkali jej rodzice. Ja również w tym roku planowałem spędzić święta na Humleveien razem z mamą, ojcem i stryjem Einarem.

Scena była taka sama jak w poprzednim roku. Mieliśmy się pożegnać tu, na Wergelandsveien, gdy tylko zjawi się wolna taksówka, do której Veronika będzie mogła wskoczyć. Ale co się stanie, gdy ta taksówka przyjedzie? Czy baśń się skończy? Czy czar nagle pryśnie? Nie rozmawialiśmy o tym. Przez ostatnie pół roku, z wyłączeniem tych dwóch dni gorzkiej kary, widywaliśmy się codziennie. Dziewczyna z Pomarańczami dotrzymała swojej uroczystej obietnicy. Ale jakie reguły miały obowiązywać w nowym roku?

W te święta było zimniej niż przed rokiem i Veronika zmarzła. Objąłem ją i rozmasowałem plecy. Powiedziałem też, że Gunnar po Nowym Roku zamierza wyprowadzić się z naszego wspólnego mieszkanka, bo będzie studiował w Bergen. Dodałem, że powinienem rozejrzeć się za nowym współlokatorem, z którym podzielę czynsz.

Takim byłem tchórzem, Georg. Wydaje mi się, że ona również tak pomyślała. Właściwie wręcz się uniosła. Gunnar się wyprowadza? A ja będę szukał jakiegoś studenta, który wprowadzi się do mieszkania? Naprawdę zaplanowałem to bez rozmowy z nią? Prawie się rozgniewała. Przestraszyłem się, że w te święta się pokłócimy i rozstaniemy jak nieprzyjaciele. Ale Veronika stwierdziła: — Wobec tego chyba ja mogę się wprowadzić do ciebie. Mam na myśli to, że możemy zamieszkać razem. Nie możemy, Jan Olav?

Właśnie tego pragnąłem. Ale byłem większym tchórzem niż ona. Bałem się złamać reguły.

Veronika rozpromieniła się jak całe drzewko pomarańczy z Plaza de la Alianza, gdy czym prędzej uzgodniliśmy, że będzie mogła się przenieść na Adamstuen już na początku stycznia. W nadchodzącym roku mieliśmy więc spędzać razem nie tylko wszystkie dni. Mieliśmy być razem również każdej nocy. Takie były te nowe reguły.

Nagle jednak po jej twarzy przebiegł cień zatroskania. Może to wyraz wątpliwości, pomyślałem, może mimo wszystko ma jakieś zastrzeżenia. A może nosi w sobie nadzieję na coś, o czym nie chce mówić? — Co się stało, Veroniko? — spytałem. Już ją teraz znałem.

— W takiej sytuacji pokój Gunnara będzie pusty — powiedziała.

Kiwnąłem głową, ale nie mogłem pojąć, dlaczego znów o tym wspomina. Wyraźnie mówiłem, że Gunnar się wyprowadza.

— Bo przecież nie będziemy spać w oddzielnych pokojach!

— Oczywiście, że nie — odparłem, ale ciągle nie rozumiałem, o czym myśli.

Ale ona nie miała już żadnych wątpliwości. Oznajmiła wprost, o co chodzi. — Wobec tego będę chyba mogła wykorzystać pokój Gunnara jako pracownię. Zerknęła na mnie przelotnie, jakby sprawdzała moją reakcję. Położywszy rękę na jej srebrnej spince, powiedziałem, że będę naprawdę ogromnie dumny z tego, że mieszkam z artystką.

Taksówka nadjechała w ciągu kilku minut. Veronika skinęła wyciągniętą ręką i zatrzymała auto. Wsiadła, ale tym razem obejrzała się na mnie i pomachała mi obiema rękami. Pomyśleć tylko, że upłynął zaledwie rok!

Po odjeździe taksówki nie musiałem się rozglądać w poszukiwaniu zgubionego pantofelka. W tej baśni nie było już żadnych warunków do spełnienia. Przestaliśmy być uzależnieni od reguł wyznaczonych przez ciotkowate wróżki, narzucające, co wolno, a co jest zabronione. Teraz szczęście należało do nas.

Ale czym jest człowiek, Georg? Ile jest wart? Czy jesteśmy tylko pyłem wirującym w powietrzu i ciskanym na cztery wiatry?

W czasie, gdy piszę te linijki, teleskop Hubble'a krąży po swej orbicie wokół Ziemi. Przebywa tam już od czterech miesięcy i od końca maja zdążył nam już przesłać wiele cennych zdjęć wszechświata, czyli tego ogromnego pustkowia, z którego w gruncie rzeczy pochodzimy. Prędko jednak odkryto, że teleskop ma pewną wadę konstrukcyjną. Już się mówi o wysłaniu promu kosmicznego z załogą, która by naprawiła tę usterkę, ażeby umożliwić nam jeszcze lepsze zrozumienie wszechświata.

Czy wiesz, co się stało z teleskopem Hubble'a? Czy kiedykolwiek go zreperowano?

Czasami myślę o tym teleskopie kosmicznym jak o Oku Wszechświata. Bo oko, które potrafi oglądać cały wszechświat, można chyba nie bez racji tak nazwać. Rozumiesz, o co mi chodzi? Przecież to sam wszechświat wytworzył ten niepojęty instrument. Teleskop Hubble'a to kosmiczny organ zmysłu.

Czym jest ta wielka baśń, w której żyjemy i którą każdemu z nas dane jest przeżywać zaledwie przez krótką chwilę? Być może teleskop kosmiczny pewnego dnia pomoże nam choć trochę lepiej zrozumieć naturę tej baśni. Może daleko za galaktykami istnieje odpowiedź na pytanie, czym jest człowiek.

Wydaje mi się, że wiele razy w tym liście użyłem słowa „zagadka". Próbę zrozumienia wszechświata można być może porównać z układaniem elementów wielkich puzzli. Choć możliwe, że chodzi tutaj o mentalną, duchową zagadkę, i możliwe, że odpowiedź na nią mamy w sobie. Bo przecież jesteśmy tutaj. My jesteśmy tym wszechświatem.

Być może nie jesteśmy jeszcze stworzeni do końca. Fizyczny rozwój człowieka musiał w oczywisty sposób wyprzedzić rozwój psychiczny. I być może fizyczna natura wszechświata jest tylko czymś zewnętrznym, materiałem koniecznym do uzyskania przez wszechświat samoświadomości.

Noszę w sobie dość szalone przekonanie. Posłuchaj tylko: Newton nagle odkrył istnienie powszechnej siły ciążenia. To dobrze. Darwin również niemal w jednej chwili zdał sobie sprawę, że na naszej planecie nastąpił rozwój biologiczny. Super. Później Einstein wykazał zależność pomiędzy masą, energią i prędkością światła. Świetnie! A w 1953 roku Crick i Watson odkryli strukturę DNA, czyli materiału genetycznego roślin i zwierząt. Doskonale. Wobec tego możliwe również, że pewnego dnia — cóż to będzie za dzień, Georg! — jakaś skłonna do refleksji dusza w przypływie jasności widzenia rozwiąże zagadkę wszechświata.

Wyobrażam sobie, że coś takiego może nieoczekiwanie nastąpić. (W tym dniu chciałbym pracować jako redaktor odpowiedzialny za nagłówki w jakimś wielkim dzienniku!).

Pamiętasz, że zacząłem ten list od stwierdzenia, że chciałbym Cię o coś spytać? Odpowiedź na to pytanie jest dla mnie bardzo ważna. Ale wcześniej mam Ci jeszcze coś do opowiedzenia.

Teleskop Hubble'a! Znów więc do niego wracamy. Teraz byłem już zupełnie pewien, że to ważne pytanie, które ojciec chciał mi zadać, musi mieć związek ze wszechświatem.

Wstałem z łóżka i wyjrzałem przez okno. Wciąż sypał gęsty śnieg. Pomyślałem jednak, że to nie ma żadnego znaczenia. Bo nawet jeśli niebo nad Ziemią jest zaciągnięte chmurami, teleskop Hubble'a i tak potrafi zrobić ostre i przejrzyste jak kryształ zdjęcia galaktyk odległych o wiele miliardów lat świetlnych od naszej Drogi Mlecznej. W dodatku teleskop pracuje dwadzieścia cztery godziny na dobę. Przesłał nam już setki tysięcy zdjęć i zbadał ponad dziesięć tysięcy ciał niebieskich. Każdego dnia teleskop Hubble'a dostarcza danych, wystarczających do zapełnienia całego domowego komputera.

Ale dlaczego mój ojciec znów pisał o teleskopie kosmicznym? Nie pojmowałem, jaki to może mieć związek z Dziewczyną z Pomarańczami. Ale to już przestało być takie ważne. Najważniejsze, że ojciec w ogóle wiedział o teleskopie Hubble'a. Zrozumiał jego znaczenie dla ludzkości. Zdążył to pojąć, nim zachorował i umarł. Była to jedna z naprawdę ostatnich rzeczy, jakie go zajmowały.

Oko Wszechświata! Nigdy nie myślałem o teleskopie Hubble'a w ten sposób. Uważałem go za okno ludzkości na wszechświat. Jednak nazwanie teleskopu Okiem Wszechświata rzeczywiście nie było przesadą.

Swego czasu bałwochwalczy podziw dla pierwszej norweskiej linii kolejowej pomiędzy Christianią a Eidsvoll był może odrobinę przesadzony. W Norwegii mieszka jeden promil ludności całego świata, a na odcinku między Christianią a Eidsvoll w latach pięćdziesiątych XIX wieku mieszkała może jedna dziesiąta promila. Teleskopem Hubble'a po całym wszechświecie mogą podróżować wszyscy obywatele świata. Gdy umieszczano go na orbicie okołoziemskiej pół roku przed śmiercią mego ojca, koszt tego osiągnięcia wyniósł 2,2 miliarda dolarów. Obliczyłem, że na każdego mieszkańca kuli ziemskiej wypadło mniej więcej po cztery korony, i uważam, że to bardzo tani bilet jak na możliwość podróżowania wszerz i wzdłuż po całym wszechświecie. Dla porównania podróż z Oslo do Eidsvoll i z powrotem kosztuje dzisiaj około dwustu koron. Nie jest to chyba szczególnie tania wycieczka, a jeśli ktoś się ze mną zgadza, pozostaje jedynie wysłać skargę do Norweskich Kolei Państwowych. (Nie chcę powiedzieć złego słowa na temat NKP ani starego lilipuciego pociągu na trasie Christiania–Eidsvoll. Będę jednak twierdzić, że teleskop Hubble'a jest o wiele ważniejszy dla ludzkości, być może nawet dla wieśniaków z Romerike, niż tamta linia kolejowa. Nie ma za grosz przesady w nazwaniu teleskopu Hubble'a Okiem Wszechświata. Przynajmniej mój ojciec tak uważał, a nie dowiedział się nawet, że teleskopowi sprawiono nowe okulary!).

Napisał, że „teleskop Hubble'a to kosmiczny organ zmysłu". Wydaje mi się, że rozumiem, co chciał przez to powiedzieć. Ktoś może stwierdzić, że umieszczenie teleskopu Hubble'a na orbicie okołoziemskiej było dla ludzkości tylko małym kroczkiem, ponieważ w roku 1990 mieliśmy zarówno silne teleskopy, jak i prom kosmiczny. Ale był to wielki skok dla wszechświata! Bo przecież ludzie próbują znaleźć odpowiedź na pytanie, czym jest wszechświat, w imieniu całego wszechświata. Ni mniej, ni więcej! **Wszechświatowi wszczepienie sobie tak podstawowego organu, jakim jest oko, którym może sam siebie oglądać, zajęło około piętnastu miliardów lat!** (Na napisanie tego zdania poświęciłem całą godzinę. Dlatego postanowiłem je wyróżnić tłustym drukiem).

Robi się gorąco. Jesteśmy już coraz bliżej, pomyślałem. Czym prędzej wróciłem do czytania i wkrótce już byłem świadkiem własnych narodzin. To naprawdę wyjątkowe. Nie wszystkie dzieci rodzą się na przyjęciu koktajlowym.

Ale opowiadaj dalej, ojcze. Nie chciałem Ci przerywać. To Ty spytałeś, co słychać z teleskopem Hubble'a, a ja przynajmniej na to pytanie Ci odpowiedziałem.

Od tej pory będę się streszczał, bo czas upływa. Jutro mam ważne spotkanie. Do przedszkola odprowadzi Cię mama.

Mieszkaliśmy razem w mieszkanku na Adamstuen przez cztery lata. Veronika skończyła studia na Akademii Sztuk Pięknych i, jak wiesz, dalej malowała obrazy, a z czasem zaczęła również uczyć tej sztuki innych jako nauczycielka wychowania plastycznego w liceum. Mnie natomiast, jako świeżo upieczonego lekarza, czekał tak zwany staż. A to oznaczało, że przez dwa lata muszę pracować w szpitalu.

Na pewno wiesz, że moi rodzice, zarówno babcia jak i dziadek, urodzili się w Tønsberg. Właśnie w tym czasie postanowili zrealizować stare marzenie i po przejściu na emeryturę przenieść się z powrotem do tego miasta. Pewnego dnia oświadczyli, że kupili niewielki romantyczny domek w dzielnicy Nordbyen. Mój brat, czyli stryj Einar, niedawno zaciągnął się na statek, wydaje mi się, że uciekł od jakiegoś zawodu miłosnego. Doszło więc do tego, że Veronika i ja przejęliśmy duży dom na Humleveien. Musieliśmy wziąć znaczny kredyt, lecz wiedzieliśmy już, że będziemy mieć dochody.

W pierwszym roku naszego mieszkania na Humleveien dużo zajmowaliśmy się ogrodem. Zachowaliśmy oczywiście dwie jabłonie, gruszę i wiśnię, drzewa potrzebowały jedynie lekkiego przycięcia i nawożenia. Zostawiliśmy również stare krzaki malin, nie mieliśmy też serca, żeby się pozbyć agrestu, czarnych porzeczek czy rabarbaru. Posadziliśmy natomiast bzy, rododendrony i hortensje. To Veronika o wszystkim decydowała. Ja mieszkałem w tym ogrodzie niemal całe swoje życie. Teraz musiał się stać również jej ogrodem. Od czasu do czasu w cieplejsze dni wystawiała sztalugi do ogrodu i malowała to, co w nim rosło.

Pewnego dnia, gdy zbieraliśmy maliny, zauważyliśmy wielkiego trzmiela, który nagle oderwał się od kwiatu koniczyny i z szaloną prędkością poszybował w przestrzeń powietrzną. Przyszło mi do głowy, że trzmiel musi latać nieporównywalnie szybciej niż jumbo jet, oczywiście w stosunku do wagi ciała. Powiedziałem o tym Veronice i zrobiliśmy prosty rachunek. Przyjęliśmy za podstawę, że trzmiel waży około dwudziestu gramów i lata z prędkością co najmniej dziesięciu kilometrów na godzinę. A odrzutowiec? Leci z prędkością ośmiuset kilometrów na godzinę, to znaczy osiemdziesiąt razy szybciej niż trzmiel. Ale osiemdziesiąt razy dwadzieścia gramów to zaledwie kilo sześćdziesiąt. Oboje z Veroniką wiedzieliśmy, że boeing 747 waży o wiele więcej. W stosunku do wagi ciała trzmiel uzyskuje więc wiele tysięcy razy większą prędkość niż jumbo jet. A boeing 747 ma cztery silniki odrzutowe. Trzmiel tego nie ma. Trzmiel to nic innego jak prosty śmigłowiec! Śmialiśmy się z tego. Śmialiśmy się, że trzmiel potrafi tak szybko latać, również dlatego, że mieszkamy na Humleveien, czyli na ulicy Trzmielowej.

To Veronika nauczyła mnie dostrzegać drobne finezje natury, a tych była nieskończoność. Potrafiliśmy zerwać przylaszczkę albo fiołka i przez kilka minut uważnie studiować ten maleńki cud. Czyż świat nie jest jedną wielką, wprawiającą w oszołomienie baśnią?

Dzisiaj, a więc w chwili gdy to piszę, smutno mi się robi na myśl o trwającej ulotne sekundy ucieczce trzmiela w tamto popołudnie, kiedy zbieraliśmy w ogrodzie maliny. Byliśmy tacy pełni zapału, Georg, tacy otwarci i beztroscy. Mam nadzieję, że Ty również odziedziczyłeś duszę otwartą na takie małe cuda. One zastanawiają wcale nie mniej niż gwiazdy i galaktyki na niebie. Wydaje mi się, że więcej rozumu trzeba na stworzenie trzmiela niż czarnej dziury.

Ja zawsze żyłem w zaczarowanym świecie, nawet kiedy byłem bardzo mały, a na długo nim zacząłem tropić Dziewczynę z Pomarańczami na ulicach Oslo. Nieustannie mam wrażenie, że zobaczyłem coś, czego nie widział nikt inny. Trudno opisać to uczucie prostymi słowami, ale wyobraź sobie świat, nim rozpoczęło się całe to nowoczesne gadanie o prawach natury, ewolucji, atomach, cząsteczkach DNA, biochemii i komórkach nerwowych — tak, zanim nasza Ziemia zaczęła się kręcić, zanim została umniejszona do bycia „planetą" we wszechświecie, i zanim dumne ludzkie ciało zostało poćwiartowane na serce, nerki, wątrobę, mózg, system krwionośny, mięśnie, żołądek i jelita. Mówię o czasach, kiedy człowiek był człowiekiem, w pełni i z dumą człowiekiem, ni mniej, ni więcej. Wtedy świat był niczym innym jak roziskrzoną baśnią.

Z zagajnika wyskakuje nagle sarna, przez sekundę bacznie się w ciebie wpatruje, a zaraz potem znika. Cóż to za dusza, która wprawia zwierzę w ruch? Cóż to za niezbadana siła dekoruje ziemię kwiatami we wszystkich kolorach tęczy i zdobi nocne niebo kunsztowną koronką migoczących gwiazd?

Takie nagie i bezpośrednie odbieranie przyrody znajdziesz w twórczości ludowej, na przykład w baśniach braci Grimm. Poczytaj je, Georg. Poczytaj islandzkie sagi, mity greckie i skandynawskie, poczytaj Stary Testament.

Popatrz na świat, Georg, przyjrzyj mu się, nim wykujesz za dużo fizyki i chemii.

W tej chwili wielkie stada reniferów biegną po smaganym wiatrem płaskowyżu Hardangervidda. Na Île de la Camargue w delcie Rodanu lęgną się tysiące różowych flamingów. Stada smukłych gazeli jak zaczarowane przemierzają afrykańską sawannę. Dziesiątki tysięcy pingwinów królewskich gadają ze sobą na lodowatych wybrzeżach Antarktydy i wcale nie jest im źle, one to lubią. Ale nie tylko mnogość się liczy. Jeden zadumany łoś wysuwa łeb ze świerkowego lasu w Østlandet. Przed rokiem taki łoś zabłąkał się aż na Humleveien. Przestraszony leming jak oszalały krąży między deskami szopy w Fjellstølen. Pulchniutka foka skacze do wody na brzuch z jednej z wysepek w okolicach Tønsberg.

Nie próbuj mi wmawiać, że natura nie jest cudem. Nie opowiadaj mi, że świat nie jest baśnią. Ktoś, kto jeszcze tego nie zrozumiał, być może pojmie to dopiero wtedy, gdy baśń zacznie się kończyć. Wówczas człowiek ma ostatnią szansę na zerwanie klapek z oczu, ostatnią okazję na to, by przetrzeć oczy ze zdumienia, ostatnią możliwość, by ulec temu cudowi, z którym trzeba się pożegnać i który trzeba opuścić.

Mam nadzieję, że rozumiesz, co staram się wyrazić, Georg. Nikt ze łzami w oczach nie żegna się z geometrią Euklidesa czy z systemem okresowym pierwiastków. Nikt nie roni łez dlatego, że ma zostać odcięty od Internetu albo od tabliczki mnożenia. Człowiek żegna się ze światem, z życiem, z baśnią. Żegna się także z niewielkim kręgiem ludzi, których naprawdę kocha.

Niekiedy żałuję, że nie dane mi było życie przed odkryciem tabliczki mnożenia, a przynajmniej przed zaistnieniem nowoczesnej fizyki i chemii, w pewnym sensie zanim zrozumieliśmy wszystko, to znaczy W CZYSTYM ZACZAROWANYM ŚWIECIE! Ale takie właśnie wydaje mi się życie w tej chwili, kiedy siedzę przed ekranem komputera i piszę do Ciebie te słowa. Sam jestem człowiekiem nauki i nie odrzucam żadnej z nauk, lecz wyznaję również mityczny, niemal animistyczny światopogląd. Nigdy nie pozwoliłem, aby sama tajemnica życia pozostała w cieniu Newtona albo Darwina. (Jeżeli nie rozumiesz jakichś słów, to sprawdź je w encyklopedii. W przedpokoju stoi nowy leksykon. No cóż, stoi przynajmniej w chwili, gdy to piszę, nie wiem też, czy zgodzisz się ze mną, że jest aż taki nowy).

Zwierzę ci się z pewnej tajemnicy: zanim zacząłem studiować medycynę, miałem do wyboru dwie życiowe ścieżki. Chciałem zostać poetą, a więc człowiekiem słowami opiewającym ów zaczarowany świat, w którym żyjemy. Ale o tym już chyba wspominałem. Stawiałem też na zawód lekarza, czyli kogoś, kto służy życiu. Na wszelki wypadek zdecydowałem, że najpierw zostanę lekarzem.

Nie zdążyłem zostać poetą. Zdążyłem jednak napisać do Ciebie ten list.

Powrót z gabinetu lekarskiego do domu, do Dziewczyny z Pomarańczami, która stała w swoim ogrodzie i malowała kwiaty wiśni, był niczym jedno wielkie spełnienie wszystkich marzeń. Raz, kiedy wróciłem, tak bardzo ucieszył mnie jej widok w ogrodzie, że wziąłem ją na ręce i zaniosłem aż do sypialni. Jakże ona się śmiała! Położyłem ją na łóżku i tam uwiodłem. Wcale się nie wstydzę, że wtajemniczam Cię również w ten aspekt naszego wspólnego szczęścia. Dlaczego miałbym się wstydzić? Przecież ten wątek snuje się w mojej opowieści czerwoną nicią.

Gdy wprowadziliśmy się do domu na Humleveien po trwającym kilka miesięcy remoncie, od razu podjęliśmy decyzję, że rezygnujemy z wszelkich środków uniemożliwiających posiadanie dziecka. Postanowiliśmy to już w pierwszą spędzoną tutaj noc. Od tej nocy zaczęliśmy szykować Ciebie.

I mieszkaliśmy na Humleveien zaledwie od półtora roku, kiedy Ty się urodziłeś. Taki byłem dumny, gdy pierwszy raz trzymałem Cię w ramionach. Urodził się nam chłopiec. Gdybyś był dziewczynką, właściwie musiałbyś mieć na imię Ranveig. Przecież tak właśnie nazywała się tamta maleńka dziewuszka, której matką była jedna z Dziewczyn z Pomarańczami.

Veronika po porodzie była zmęczona i blada, ale szczęśliwa. Trudno o większe szczęście dla nas obojga. Zaczynał się teraz nowy rozdział z zupełnie nowymi zasadami.

Zdradzę Ci jeszcze jedną tajemnicę. Otóż w szpitalu pracował mój kolega ze studiów, również lekarz. Przyszedł do nas na porodówkę z szampanem dla położnicy i dla świeżo upieczonego ojca. Właściwie było to wbrew obowiązującym w szpitalu zasadom, a prawdę mówiąc, surowo zabronione. W pokoju znajdowała się jednak zasłonka, którą dało się zakryć okno na korytarz, i mogliśmy we troje wznieść toast za to życie na Ziemi, które właśnie rozpocząłeś. Ty oczywiście nie dostałeś szampana, lecz wkrótce zostałeś przystawiony do piersi Veroniki, a ona wypiła kilka łyczków.

Jednakże gdy Dziewczyna z Pomarańczami odprowadzała mnie do autobusu na lotnisko w Sewilli, zobaczyliśmy w rynsztoku martwego gołębia. To był zły znak. Może ukazał się nam, ponieważ nie przestrzegałem wszystkich reguł, obowiązujących w baśni.

Pamiętasz, że ostatnią Wielkanoc spędziliśmy w domku w górach? Miałeś wtedy już prawie trzy i pół roku. Ale na pewno wszystko zapomniałeś. Podczas studiów medycznych uczymy się też trochę psychologii. Człowiek niewiele pamięta z tego, co się wydarzyło przed ukończeniem czwartego roku życia.

Pamiętam, że usadowiliśmy się we dwóch pod ścianą domku i razem jedliśmy pomarańczę, a Veronika nagrywała to na wideo, niemal jakby wyczuwała, że zbliżamy się do kresu drogi. Może mógłbyś ją spytać, Georg, czy nie ma jeszcze tego filmu? Może uzna, że wyciąganie go jest zbyt bolesne, lecz mimo wszystko poproś ją, by Ci go pokazała.

Po Wielkanocy zrozumiałem, że jestem poważnie chory. Veronika w to nie wierzyła, ale ja wiedziałem. Byłem świetny w odczytywaniu znaków. Byłem świetny w stawianiu diagnozy.

Zwróciłem się więc do kolegi, był to zresztą ten sam lekarz, który poczęstował nas szampanem w szpitalu, kiedy się urodziłeś. Zrobił mi najpierw kilkakrotnie badanie krwi, potem wykonał też tomografię komputerową, to jest coś w rodzaju badania rentgenowskiego, i całkowicie się ze mną zgodził. Nasza zawodowa ocena przypadku była identyczna.

Rozpoczęła się zupełnie nowa codzienność. I dla mnie, i dla Veroniki była to katastrofa, lecz Ciebie staraliśmy się jak najdłużej trzymać poza obszarem zagrożenia. Kolejny raz zostały wprowadzone zupełnie nowe zasady. Słowa takie jak tęsknota, cierpliwość i żal otrzymały całkiem nowe znaczenie. Nie mogliśmy już dłużej obiecywać sobie nawzajem, że będziemy razem w nadchodzących latach. Niczego nie mogliśmy już sobie obiecać. W jednej chwili staliśmy się tacy ubodzy i nadzy. W serdecznym i miłym zaimku „my dwoje" pojawiło się paskudne pęknięcie. Nie mogliśmy już niczego od siebie wymagać, nie mogliśmy dzielić nadziei na czekającą nas przyszłość.

Przeczytałeś mój list aż do tego miejsca, znasz już więc trochę historię mojego życia. Wiesz, kim jestem. To dla mnie bardzo przyjemne. W pewnym sensie znasz mnie lepiej niż wiele innych osób, chociaż my dwaj nie rozmawialiśmy w cztery oczy, odkąd miałeś niespełna cztery lata. Nie zawsze bowiem udawało mi się komunikować z innymi ludźmi równie otwarcie, jak otworzyłem się przed Tobą w tym liście. Z pewnością rozumiesz też, z jakim trudem przyszło mi zaakceptować te nowe zasady. Wiedziałem, dokąd najprawdopodobniej to wszystko zmierza, i stopniowo musiałem przyzwyczajać się do myśli, że będę musiał opuścić Ciebie i Dziewczynę z Pomarańczami.

Muszę Cię jednak o coś spytać, Georg. Nie mogę już dłużej czekać. Najpierw jeszcze tylko opowiem Ci, co się wydarzyło tu, na Humleveien, kilka tygodni temu.

Veronika przedpołudnia spędza w szkole, gdzie uczy młodych ludzi malować pomarańcze. Zapowiedziałem, że nie wolno jej całymi dniami przesiadywać w domu ze mną. Śniadania jemy więc we dwóch. Potem odprowadzam Cię do przedszkola, no a później mam te godziny tylko dla siebie, kiedy siedzę przed komputerem w przedpokoju i piszę do Ciebie ten długi list. Często muszę przechodzić przez pokój, balansując jak tancerz na linie, żeby przypadkiem nie kopnąć Twojej kolejki BRIO. Gdyby jakaś część się przesunęła, od razu byś zauważył.

Bywa też, że muszę się o tej porze przespać, choć wcale nie dlatego, że źle się czuję. Po prostu często nie mogę zasnąć w nocy, bo nocą napływają wszystkie myśli i wtedy najbardziej nie dają mi spokoju. Akurat w chwili, gdy już zasypiam, nagle uważnie zaglądam we wszystkie przykre zagadki, w tę wielką okropną baśń, w której nie ma dobrych wróżek, tylko czarne wrony, mroczne duchy i złośliwe elfy. Lepiej wtedy zrezygnować z nocnego snu i raczej zdrzemnąć się na sofie przed południem, kiedy na dworze jest jasno.

Nie jest mi wcale ciężko leżeć nie śpiąc, kiedy wiem, że Ty i Veronika jesteście w domu, kiedy wiem, że oboje śpicie. Wiem też, że mogę w każdej chwili obudzić Veronikę, i czasami to robię, wtedy ona siedzi ze mną. Kilka razy zdarzyło nam się przesiedzieć razem całą noc. Mało wtedy rozmawialiśmy. Po prostu byliśmy razem. Zrobiliśmy sobie herbatę, zjedliśmy po kromce chleba z serem. Tak się porobiło, Georg. Takie są te nowe zasady.

Godzinami możemy siedzieć i tylko trzymać się za ręce. Czasami zerkam na jej dłoń, jest taka łagodna i piękna. Przyglądam się też swojej, na przykład jednemu palcowi, albo tylko paznokciowi. Jak długo jeszcze będę miał ten palec, zastanawiam się. Albo podnoszę jej rękę do ust i całuję.

Myślę o tym, że tę dłoń, którą trzymam teraz, będę trzymał do ostatniej chwili, może leżąc w szpitalnym łóżku, może przez wiele godzin bez przerwy, aż do momentu, gdy wreszcie zdejmę cumę i odpłynę. Uzgodniliśmy, że tak właśnie się to stanie, ona już mi to obiecała. Przyjemnie o tym myśleć. A jednocześnie bezgranicznie smutno. Kiedy opuszczę ten wszechświat, puszczę ciepłą, żywą rękę, rękę Dziewczyny z Pomarańczami.

Wyobraź sobie, Georg, wyobraź sobie, że również na tym drugim brzegu byłaby jakaś dłoń, której można by się złapać! Ale ja nie wierzę w istnienie jakiejś drugiej strony. Jestem tego niemal całkiem pewien. Wszystko, co istnieje, trwa dopóty, dopóki wszystko się nie skończy. Ale często ostatnią rzeczą, której człowiek się trzyma, bywa czyjaś dłoń.

Napisałem, że jedną z najbardziej zaraźliwych rzeczy, jakie znam, jest śmiech. Ale zarazić się można również smutkiem. Inaczej jest ze strachem. On nie jest równie zaraźliwy jak śmiech i smutek, to dobrze. Ze strachem jest się niemal całkiem sam na sam.

Boję się, Georg. Boję się wyrzucenia z tego świata. Boję się takich wieczorów jak ten, kiedy nie będzie mi już wolno żyć.

Pewnej nocy jednak Ty się obudziłeś, właśnie o tym zamierzałem napisać. Siedziałem w ogrodzie zimowym i nagle usłyszałem, że przydreptałeś ze swojego pokoju do salonu. Przecierałeś oczy i rozglądałeś się dokoła. Normalnie wszedłbyś po schodach do naszej sypialni, ale tej nocy zatrzymałeś się na środku salonu, być może dlatego, że zobaczyłeś zapalone wszystkie światła. Przeszedłem tam i wziąłem Cię na ręce. Powiedziałeś, że nie możesz spać. Być może oświadczyłeś tak, ponieważ słyszałeś wcześniej, jak rozmawiam z mamą i używam takich słów.

Muszę przyznać, od razu wprost nieopisanie się ucieszyłem z tego, że się obudziłeś, że przyszedłeś do taty akurat w chwili, gdy najbardziej Cię potrzebował. Dlatego też nawet nie próbowałem Cię uśpić.

Tak bardzo chciałem porozmawiać z Tobą o wszystkim, lecz zdawałem sobie sprawę, że nie mogę tego zrobić, ponieważ jesteś na to za mały. A jednak byłeś dostatecznie duży, żeby mnie pocieszyć. Gdyby tylko udało Ci się nie zasnąć, chętnie posiedziałbym z Tobą tej nocy przez kilka godzin. Była to jedna z tych nocy, w których być może zdecydowałbym się na zbudzenie Veroniki. Teraz mogła spać.

Wiedziałem, że niebo jest cudownie bezchmurne, pełne gwiazd, zobaczyłem to już wcześniej z ogrodu zimowego. Była druga połowa sierpnia, a Ty być może dotychczas nie widziałeś gwiaździstego nieba, nie było go w tej jasnej połowie roku, którą mieliśmy za sobą, nie było to możliwe, a rok wcześniej byłeś jeszcze bardzo mały. Ubrałem Cię w ciepły sweter i rajtuzy robione na drutach, sam też włożyłem kurtkę i usiedliśmy razem na tarasie. Wcześniej zgasiłem światła w środku, a teraz jeszcze te na zewnątrz.

Najpierw pokazałem Ci cieniutki sierp Księżyca. Wisiał nisko na niebie po wschodniej stronie. Sierp był zwrócony w prawo, oznaczał więc, że Księżyc maleje. Powiedziałem coś o tym.

Siedziałeś u mnie na kolanach i chłonąłeś bezpieczny spokój, który cię otaczał. Ja także pełnymi garściami czerpałem spokój i poczucie bezpieczeństwa, płynące od Ciebie. Potem zacząłem Ci pokazywać gwiazdy i planety wysoko na sklepieniu nieba. Tak bardzo chciałem opowiedzieć Ci wszystko o całej tej wspaniałej baśni, której część stanowiliśmy, o tych ogromnych puzzlach, których Ty i ja byliśmy malusieńkimi kawałeczkami. Również tą baśnią rządziły pewne prawa i reguły, których nie mogliśmy pojąć, które mogły się nam podobać albo nie, lecz którym w pełni musieliśmy się podporządkować.

Miałem świadomość, że być może wkrótce będę musiał Cię opuścić, ale o tym nie mogłem nic powiedzieć. Wiedziałem, że najprawdopodobniej jestem już na drodze prowadzącej do wyjścia z tej wielkiej baśni, w którą teraz zaglądaliśmy, lecz nie mogłem Ci się z tego zwierzyć. Zacząłem Ci opowiadać o gwiazdach, najpierw w prosty sposób, żebyś mógł zrozumieć, ale wkrótce, pełen emocji opowiadałem Ci swobodnie o kosmosie, jakbyś był moim dorosłym synem.

A Ty pozwoliłeś mi mówić, Georg. Lubiłeś słuchać, jak opowiadam, chociaż nie potrafiłeś pojąć wszystkich zagadek, które wymieniłem. Być może zrozumiałeś nawet nieco więcej, niż przypuszczałem. W każdym razie nie przerywałeś mi, ani nie zasnąłeś. Mogło się wydawać, że rozumiesz, iż tej nocy nie możesz sprawić mi zawodu. To Ty mnie pilnowałeś. To Ty byłeś moim opiekunem.

Opowiedziałem Ci, że jest noc, ponieważ ziemski glob obraca się wokół swojej osi i teraz właśnie obrócił się plecami do Słońca. Wyjaśniłem, że jedynie dokładnie w chwilach, gdy Słońce wschodzi albo zachodzi, możemy zauważyć, że Ziemia się kręci. Być może potrafiłeś to zrozumieć, chociaż od czasu do czasu śpiewaliśmy na dobranoc kołysankę, zaczynającą się od słów: *Słonko zamknęło już oczy, ja też zaraz zamknę swoje*... Pamiętasz?

Pokazałem Ci Wenus i powiedziałem, że ta gwiazdka to planeta, która krąży wokół Słońca tak samo jak Ziemia. Wenus o tej porze roku można było zobaczyć nisko na wschodnim niebie, ponieważ Słońce oświetlało ją tak samo, jak oświetla Ziemię. Zwierzyłem Ci się też z pewnej tajemnicy. Powiedziałem, że za każdym razem, gdy mój wzrok padnie na tę planetę, myślę o Veronice, ponieważ *venus* to stare słowo oznaczające miłość.

Potem wytłumaczyłem Ci, że jednak prawie wszystkie jaśniejące punkciki, widoczne na niebie, to prawdziwe gwiazdy, które świecą same z siebie tak jak Słońce, bo każda najmniejsza nawet gwiazdka na niebie to płonące słońce. Wiesz, co wtedy powiedziałeś? — Ale gwiazdy nie mogą poparzyć skóry.

Mieliśmy za sobą wspaniałe lato, Georg, musieliśmy Cię całego smarować kremem z wysokim filtrem przeciwsłonecznym. Przytuliłem Cię mocno do siebie i szepnąłem: — Tylko dlatego, że są tak bardzo, bardzo daleko.

Gdy siedzę i to piszę, Ty kręcisz się po podłodze i budujesz jakiś nowy tor do kolejki.

To jest codzienność, myślę sobie. To jest rzeczywistość. Ale drzwi do wyjścia z rzeczywistości stoją otwarte na oścież.

Przed chwilą podszedłeś do mnie i spytałeś, co piszę na komputerze. Odpowiedziałem Ci, że to list do mojego najlepszego przyjaciela.

Może zdziwił Cię smutek w moim głosie, gdy Ci to wyjaśniałem, bo spytałeś: — To do mamy?

Chyba pokręciłem głową. — Mama to moja ukochana — odparłem. — A to jest coś zupełnie innego.

— A ja kim jestem? — spytałeś wtedy.

Złapałeś mnie w pułapkę. Ale wziąłem Cię tylko na kolana, nie odchodząc od komputera, mocno przytuliłem i powiedziałem, że jesteś moim najlepszym przyjacielem.

Na szczęście o nic więcej nie pytałeś. Nie przyszło Ci do głowy, że ten list może być do Ciebie. Również ja z trudem mogłem sobie wyobrazić, że pewnego dnia być może go przeczytasz.

Czas, Georg. Czym jest czas?

Opowiadałem dalej, chociaż miałem świadomość, że nie jesteś już w stanie pojąć, co mówię.

Wszechświat jest również bardzo stary, powiedziałem, liczy sobie może nawet piętnaście miliardów lat. A mimo to jeszcze nikt nie zdołał wyjaśnić, jak został stworzony. Żyjemy w jednej wielkiej baśni, a nikt nie wie, czym ona jest. Tańczymy, bawimy się, gadamy i śmiejemy się w świecie, którego powstania nie potrafimy pojąć. — Ten taniec i zabawa to muzyka życia — powiedziałem. — Znajdziesz ją wszędzie tam, gdzie są ludzie, tak jak w słuchawkach wszystkich telefonów słychać sygnał.

Odchyliłeś głowę i popatrzyłeś na mnie. Zrozumiałeś przynajmniej sekwencję o sygnale w słuchawkach. Uwielbiasz podnosić słuchawkę i go słuchać.

A potem, Georg, potem zadałem Ci pytanie, to samo pytanie, które chcę Ci zadać teraz, kiedy jesteś już w stanie je zrozumieć. Właśnie z uwagi na to pytanie opowiedziałem Ci całą tę historię o Dziewczynie z Pomarańczami.

Powiedziałem: — Wyobraź sobie że stoisz u progu tej wielkiej baśni, wiele miliardów lat temu, kiedy wszystko powstało. Możesz zdecydować, czy kiedyś urodzisz się i będziesz żyć na tej planecie. Nie wiesz, kiedy by to miało być, ani też jak długo będziesz mógł tu pozostać, lecz o więcej niż kilkudziesięciu latach i tak nie może być mowy. Wiesz jedynie, że jeśli zdecydujesz się przyjść kiedyś na ten świat, gdy nadejdzie na to pora czy, jak mówimy, gdy „czas się dopełni", będziesz również musiał rozstać się kiedyś z nim i wszystko opuścić. Być może przyprawi Cię to o wielki smutek, gdyż wielu ludzi uważa życie w tej niezwykłej baśni za takie cudowne, że łzy napływają im do oczu na samo wspomnienie nieuchronnego końca. Ogromnie boli myśl o chwili, w której nie będzie już następnych dni.

Siedziałeś u mnie na kolanach cichutko jak myszka. A ja spytałem: — Co byś wybrał, Georg, jeśli istniałaby jakaś wyższa moc, która pozwoliłaby Ci na taki wybór? Spróbujmy wyobrazić sobie taką kosmiczną wróżkę, obecną w tej wielkiej, tajemniczej baśni. Czy wybrałbyś życie na Ziemi, krótkie albo długie, za sto tysięcy albo sto milionów lat?

Wydaje mi się, że parę razy ciężko westchnąłem, zanim podjąłem ten wątek, ale powiedziałem twardo: — Czy też nie chciałbyś uczestniczyć w tej zabawie, ponieważ nie akceptujesz jej reguł?

Wciąż siedziałeś cichutko u mnie na kolanach. Ciekawe, o czym myślałeś. Byłeś żywym cudem. Wydawało mi się, że Twoje pszenicznojasne włosy pachną mandarynkami. Byłeś żywym aniołem z krwi i kości.

Nie zasnąłeś. Ale też nic nie powiedziałeś.

Jestem pewien, że słyszałeś, co mówiłem, może nawet się przysłuchiwałeś. Ale co Ci chodziło po głowie, tego nie potrafię odgadnąć. Siedzieliśmy blisko siebie. A mimo to dzieliła nas taka straszna odległość.

Przytuliłem Cię jeszcze mocniej, pomyślałeś być może, że po to, by Cię rozgrzać. Ale ja Cię zdradziłem, Georg, ponieważ się rozpłakałem. Nie chciałem, żeby tak się stało, i natychmiast próbowałem wziąć się w garść. Ale płakałem.

W ostatnich tygodniach wielokrotnie zadawałem sobie to pytanie. Czy wybrałbym życie na Ziemi, mając świadomość, że zostanę nagle od niego oderwany, może w samym środku najszczęśliwszych chwil? Czy też już w punkcie wyjścia podziękowałbym za uczestnictwo w tej bezsensownej zabawie w „dawanie i odbieranie"? Bo przychodzimy na świat tylko jeden raz. Zostajemy wpuszczeni w tę wielką baśń. A potem... Pstryk, i skończona bajka!

Nie, nie byłem wcale pewien, co bym wybrał. Wydaje mi się, że odrzuciłbym postawione mi warunki. Być może podziękowałbym uprzejmie za całą propozycję odwiedzenia tej wspaniałej baśni, skoro miałaby to być zaledwie krótka wizyta, a może nawet nie stać by mnie było na uprzejmość. Może wrzasnąłbym, że to taki diabelski dylemat i nie chcę więcej o nim słyszeć. Właśnie takie myśli przychodziły mi do głowy w tamtej chwili, gdy siedziałem na tarasie, trzymając Cię na kolanach. Byłem najzupełniej pewien, że odrzuciłbym całą propozycję.

Gdybym zdecydował, że nigdy nie zajrzę do tej wspaniałej baśni, nie wiedziałbym też, co mi przechodzi koło nosa. Rozumiesz, o co tu chodzi? Czasami już tak jest z nami, ludźmi, że gorzej jest stracić coś drogiego, niż nigdy tego nie posiadać. Posłuchaj tylko: gdyby Dziewczyna z Pomarańczami nie dotrzymała obietnicy, że będziemy ze sobą każdego dnia w drugiej połowie roku po jej powrocie z Hiszpanii, lepiej by dla mnie było, żebym jej nigdy nie spotkał. Podobnie bywa również w innych baśniach. Sądzisz, że Kopciuszek zdecydowałby się zostać księżniczką na zamku, gdyby wiedział, że ta zabawa potrwa zaledwie tydzień? Jak Ci się wydaje, czym byłby dla niej powrót do szufli na popiół, pogrzebacza, do złej macochy i paskudnych sióstr?

Ale teraz Twoja kolej na odpowiedź, teraz Ty dojdziesz do głosu. Właśnie wtedy, gdy siedzieliśmy pod gwiaździstym niebem, postanowiłem napisać do Ciebie ten długi list. Stało się to dokładnie w chwili, gdy nagle wybuchnąłem płaczem. Płakałem bowiem nie tylko dlatego, że wiedziałem, iż być może przyjdzie mi opuścić Ciebie i Dziewczynę z Pomarańczami. Płakałem, ponieważ byłeś taki mały. Płakałem, bo my dwaj nie mogliśmy tak naprawdę porozmawiać.

Pytam jeszcze raz: co byś wybrał, gdybyś miał taką szansę? Zdecydowałbyś się żyć na Ziemi przez krótką chwilę, aby po kilkudziesięciu krótkich latach zostać wyrwanym z tego świata i nigdy już tu nie powrócić? Czy też byś z tego zrezygnował?

Masz tylko tę alternatywę. Takie bowiem są reguły. Jeśli wybierzesz życie, wybierzesz także śmierć.

Obiecaj mi jednak, że nie będziesz się spieszył i dobrze się zastanowisz, zanim odpowiesz.

Może ranię Cię teraz zbyt głęboko. Może zbyt wiele przed Tobą otwieram. I możliwe, że nie mam do tego prawa. Ale Twoja odpowiedź na to pytanie jest dla mnie ogromnie ważna, ponieważ to ja jestem bezpośrednio odpowiedzialny za to, że się tu znalazłeś. Nie byłoby Cię na świecie, gdybym ja z niego zrezygnował.

Mam coś w rodzaju poczucia winy z tego powodu, że uczestniczyłem w sprowadzeniu Cię na świat. To w pewnym sensie ja dałem Ci życie, oczywiście wspólnie z Dziewczyną z Pomarańczami. Ale to również my Ci je kiedyś odbierzemy. Obdarzenie życiem maleńkiego dziecka jest nie tylko ofiarowaniem mu wielkiego daru świata. Jest to jednocześnie odebranie tego wielkiego daru.

Muszę być z Tobą szczery, Georg. Osobiście raczej odrzuciłbym propozycję takiego błyskawicznego „zwiedzania" świata wielkiej baśni. Tak jest. A jeśli Ty myślisz podobnie jak ja, czuję się winny tego, co zrobiłem.

Pozwoliłem się uwieść Dziewczynie z Pomarańczami, pozwoliłem się skusić miłości, pozwoliłem się zwabić myśli o posiadaniu dziecka. Teraz przychodzi lęk i potrzeba pokuty. Czy zrobiłem coś złego? To pytanie jest krwawym konfliktem sumienia. Pojawia się również potrzeba posprzątania po sobie.

Ale, Georg, teraz może pojawić się nowy dylemat, choć może nie tak trudny — czy nie tak perfidny — jak ten pierwszy. Jeśli odpowiesz, że mimo wszystko wybrałbyś życie, choćby tylko na krótką chwilę, to i ja w zasadzie nie mam prawa żałować, że się urodziłem.

W ten sposób może da się mimo wszystko osiągnąć jakąś równowagę w rachunku, może obie strony się zrównoważą. Oczywiście właśnie taką mam nadzieję. Tak, właśnie dlatego piszę.

Na to ważne pytanie, które Ci zadałem, nie możesz odpowiedzieć mi wprost. Ale możesz odpowiedzieć pośrednio. Możesz odpowiedzieć poprzez wybór sposobu przeżycia tego istnienia, które rozpocząłeś, kiedy Veronika, ja i nieposłuszny medyk w szpitalu wznieśliśmy za nie toast szampanem. A że ten lekarz od szampana był dla Ciebie dobrą wróżką, jestem najzupełniej pewien.

Możesz teraz odłożyć to moje pozdrowienie dla Ciebie. Teraz Twoja kolej, aby żyć.

Ja jutro idę do szpitala. Taki właśnie jest wynik tego ważnego spotkania. Do przedszkola będzie musiała odprowadzić Cię mama.

O tym również muszę napisać. Muszę też dodać: Nie obiecuję, że kiedykolwiek jeszcze wrócę na Humleveien.

Georg! Mam ostatnie pytanie: czy mogę być pewien, że po tym życiu nie ma już innego? Czy mogę być całkiem przekonany, że w chwili, kiedy Ty będziesz czytał ten list, mnie nie będzie w żadnym innym miejscu? Nie, całkowitej pewności mieć nie mogę. Bo skoro świat istnieje, granice nieprawdopodobieństwa i tak już zostały przekroczone. Rozumiesz, o co mi chodzi? Jestem do tego stopnia przepełniony zdumieniem nad istnieniem tego świata, że nie ma już we mnie miejsca na więcej zdumienia, gdyby się miało okazać, że istnieje też jeszcze inny świat, późniejszy.

Pamiętam, że parę dni temu przez kilka godzin zabijaliśmy czas, grając w grę komputerową. Możliwe, że ta gra bawiła przede wszystkim mnie, bardzo potrzebowałem takiego wyłączenia wszystkich myśli. Ale za każdym razem, gdy „umieraliśmy", pojawiała się nowa plansza i znów mogliśmy grać. Skąd można wiedzieć, że nie ma takiej „nowej planszy" również dla naszych dusz? Ja w to nie wierzę, naprawdę. Ale marzenie o czymś nieprawdopodobnym ma własną nazwę. Nazywamy je nadzieją.

TAMTĄ NOC NA TARASIE PAMIĘTAŁEM! Utkwiła mi w szpiku. Zostawiła tatuaż na sercu. A kiedy teraz o niej czytałem, kilkakrotnie ciarki przebiegły mi po plecach.

Do tej pory w pewnym sensie o wszystkim zapomniałem, bo nigdy nie wróciłbym pamięcią do tamtej rozgwieżdżonej nocy, gdybym o niej nie przeczytał, teraz jednak pamiętałem ją prawie aż zbyt wyraźnie. BYĆ MOŻE TO MOJE JEDYNE PRAWDZIWE WSPOMNIENIE OJCA.

Nie zdołałem go sobie przypomnieć z Fjellstølen. Bez względu na to, jak się wysilałem, nie przypomniała mi się też żadna z wycieczek nad jezioro Sognsvann. Pamiętałem natomiast tamtą zaklętą noc na tarasie. To znaczy: zapamiętałem ją zupełnie inaczej. Pamiętałem ją jak baśń albo jak kolorowy sen.

Obudziłem się. Tatuś przyszedł z przeszklonej werandy i podniósł mnie wysoko w powietrze. Powiedział, że pójdziemy pofruwać. Mówił, że będziemy patrzeć na gwiazdy. Dlatego musiał mnie ciepło ubrać, bo w przestrzeni kosmicznej panuje dojmujące zimno. Chciał mi jednak pokazać gwiazdy na niebie. Musiał. To była nasza jedyna szansa i musieliśmy ją wykorzystać.

Wiedziałem też, że tatuś jest chory! Ale on nie wiedział, że ja wiem. To mama zdradziła mi tę tajemnicę. Powiedziała, że być może będzie musiał iść do szpitala i dlatego jest taki smutny. Wydaje mi się, że wyjawiła mi tę tajemnicę tego samego dnia po południu. Może właśnie dlatego się obudziłem, może właśnie z tego powodu nie mogłem spać.

Teraz całkiem wyraźnie przypominam sobie tamtą noc na tarasie, podczas której odbyłem wspólnie z ojcem długą podróż kosmiczną. Chyba zrozumiałem wtedy, że tatuś być może nas opuści. Ale najpierw chciał mi pokazać, dokąd się wybierze.

A potem — ciarki przechodzą mi po plecach nawet teraz, gdy to piszę — podczas tej podróży w przestrzeni kosmicznej tatuś nagle zaczął płakać. Wiedziałem, dlaczego płacze, ale on nie wiedział, że ja wiem. Dlatego nie mogłem nic powiedzieć. Musiałem siedzieć cichutko jak myszka. To, co się miało stać, było zbyt niebezpieczne, żeby o tym mówić.

Jest też coś jeszcze. Od tej nocy zawsze wiedziałem, że gwiazdom na niebie nie można ufać. One w każdym razie nie mogą nas przed niczym uratować. Również z gwiazdami na niebie pewnego dnia się rozstaniemy.

Gdy razem z tatą żeglowaliśmy po wszechświecie, a on nagle zaczął płakać, zrozumiałem, że nie można ufać niczemu na całym świecie.

Po przeczytaniu ostatnich stron listu od ojca nareszcie zdałem sobie sprawę, dlaczego zawsze tak zajmował mnie wszechświat. To ojciec otworzył mi oczy na tę perspektywę. To on nauczył mnie odrywać wzrok od wszystkiego, co się kręci w dole. Byłem małym astronomem amatorem na długo przed tym, zanim uświadomiłem sobie, dlaczego nim zostałem.

Przestał więc już tak dziwić fakt, że zarówno ojciec, jak i ja interesowaliśmy się teleskopem Hubble'a. To zainteresowanie odziedziczyłem po nim! Podjąłem wątek w miejscu, w którym on go porzucił. Tak jakby przekazał mi to w spadku. Ale czy nie tak samo było od wszech czasów? Początkowe przygotowania do wysłania teleskopu Hubble'a poczyniono już w epoce kamiennej. A zresztą nie: zupełnie pierwsze prace wstępne wykonano już w kilka mikrosekund po Wielkim Wybuchu, kiedy to powstały czas i przestrzeń.

Jest takie powiedzenie o zasiewaniu ziarna. Ojciec zdążył to zrobić przed śmiercią. W pewnym sensie to on dał mi temat tamtej dużej pracy. Nie wydaje mi się, żeby mego tatę w szczególny sposób interesował angielski futbol. Na szczęście ominęły go Spice Girls. Nie wiem, jaki miał stosunek do Roalda Dahla.

Skończyłem czytać. Siedziałem trochę i myślałem, aż mama znów zastukała do drzwi. — Georg? — spytała tylko.

Powiedziałem, że już wszystko przeczytałem.

— To chyba niedługo wyjdziesz?

Odparłem, że to ona musi wejść do mnie.

Otworzyłem drzwi i wpuściłem ją do środka. Na szczęście szybko zamknęła drzwi za sobą.

Nie było mi ani trochę głupio, że mam mokre oczy. Również mama miała w oczach łzy przy pierwszych spotkaniach z moim ojcem. Teraz to ja go spotkałem.

Zarzuciłem Dziewczynie z Pomarańczami ręce na szyję i powiedziałem: — Mój tatuś nas opuścił.

Mama przytuliła mnie mocno. Ona także płakała.

Przez chwilę siedzieliśmy na brzegu łóżka. Wkrótce zaczęła wypytywać, co ojciec napisał. — Chyba rozumiesz, że jestem tego ogromnie ciekawa — przyznała. — Jestem też w pewnym sensie wystraszona. Trochę się boję to czytać.

Odparłem, że ojciec napisał długi list miłosny, a mama oczywiście uznała, że to list miłosny do mnie. Trzeba jej było wszystko kłaść do głowy. Wyjaśniłem, że ojciec napisał list miłosny do niej, do Dziewczyny z Pomarańczami.

Dodałem: — Ja byłem najlepszym przyjacielem taty. Ale ty byłaś jego ukochaną. To coś zupełnie innego.

Mama długo się nie odzywała. Wciąż była młoda. Po przeczytaniu tej długiej opowieści o Dziewczynie z Pomarańczami zobaczyłem, jaka jest piękna. To prawda, że trochę przypominała wiewiórkę. Ale teraz była przede wszystkim podobna do przerośniętego pisklęcia. Widziałem, że dziób jej drży.

Spytałem: — Kim był mój ojciec?

Drgnęła przestraszona. Nie wiedziała przecież dokładnie, co czytałem przez tyle godzin. Odparła: — To oczywiście Jan Olav.

— Ale kim on był? To znaczy, jaki był?

— Aha...

Za chwilę na jej ustach pojawił się uśmiech Mony Lizy. Patrzyła na mnie prawie zamglonym wzrokiem. Dostrzegłem w dodatku coś, na co mój ojciec stale zwracał uwagę. Widziałem, jaka jest skupiona. Widziałem, jak jej piwne oczy mrugają, tańczą niespokojnym tańcem.

Powiedziała: — Był bardzo, bardzo kochany... naprawdę niezwykły człowiek. Miał wielką wyobraźnię, może nawet powinnam powiedzieć, że tworzył mity... Raz po raz potrafił powtarzać, że życie jest jak baśń, i wydaje mi się, że naprawdę miał takie... niemal magiczne poczucie życia. Był poza tym wielkim romantykiem... Ale romantykami byliśmy oboje. Później nieoczekiwanie zachorował i muszę przyznać, że zapowiedź śmierci przyjął z bezdennym smutkiem. Przykro było na to patrzeć, to naprawdę bolesne. Rzeczywiście chyba bardzo mnie kochał... i ciebie oczywiście, wprost cię ubóstwiał. I nie umiał sobie poradzić z utratą żadnego z nas. Nie zdołał jednak oprzeć się chorobie, został od nas brutalnie oderwany. Nigdy nie pogodził się ze swoim losem, aż do końca. Dlatego pustka po nim była taka ogromna... Ale szukam pewnego słowa...

— Mnie się nie spieszy.

— Takiego człowieka jak on nazywa się marzycielem. To właśnie chciałam powiedzieć.

Teraz ja się uśmiechnąłem. — Był też szczery — dodałem. — Miał poza tym sporą dawkę samoświadomości. Nie był też pozbawiony autoironii. Nie wszyscy mają tę cechę.

Mama popatrzyła na mnie ze zdziwieniem. — Może i tak — przyznała. — Ale skąd ty o tym wiesz?

Wskazałem na plik kartek. — Kiedyś będziesz mogła to wszystko przeczytać. Wtedy zrozumiesz, o co mi chodzi.

Dziewczyna z Pomarańczami znów musiała otrzeć oczy. Nie mogliśmy jednak dłużej siedzieć w chłopięcym pokoiku i popłakiwać. Co sobie pomyśli Jørgen? Wcale mu nie zazdrościłem.

— Musimy iść do nich — powiedziałem.

Kiedy wszedłem do salonu, czułem się o wiele lat starszy niż przed kilkoma godzinami, gdy zabrałem list od ojca i zamknąłem się w swoim pokoju. Czułem się teraz taki dorosły, że nie przejmowałem się wszystkimi zaciekawionymi spojrzeniami, którymi mnie tu obrzucono.

Duży stół był zastawiony do zimnej kolacji. Znalazł się na nim kurczak, szynka, sałatka waldorff z łódeczkami pomarańczy i wielka misa z zieloną sałatą. Całą piątką usiedliśmy do stołu, ja zająłem miejsce u szczytu.

Kiedy zbierze się wielu ludzi, mama często powtarza, że „ktoś musi przypilnować reżyserii". Poczułem, że tym razem reżyserem powinienem zostać ja. I tak wszyscy gapili się na mnie. W pewnym sensie byłem główną postacią wieczoru.

Gdy już zajęliśmy miejsca, popatrzyłem na całą czwórkę i powiedziałem: — Właśnie przeczytałem długi list, który mój ojciec napisał do mnie tuż przed śmiercią. Rozumiem, że wszyscy są ciekawi, o czym pisał...

W pokoju panowała cisza jak makiem zasiał. Co miałem im powiedzieć? Jak kontynuować?

— Ten list był do mnie — podjąłem. — Ale nie tylko ja kochałem ojca. Mam teraz dla was zarówno dobrą, jak i złą wiadomość. Zacznę od dobrej. Wszyscy tu obecni będą mogli przeczytać ten list w całości. Jørgen także. Zła wiadomość jest taka, że nikt nie będzie mógł przeczytać listu dzisiaj wieczorem.

Babcia siedziała spięta, wychylona nad stołem. Teraz przez jej twarz przebiegł cień rozczarowania. Ów cień był najlepszym dowodem na to, że nie czytała listu od ojca ani teraz, ani wtedy, jedenaście lat temu. List naprawdę przeleżał jedenaście lat pod podszewką starej spacerówki.

— Muszę trochę przetrawić ten list, zanim wszyscy zaczną rozmawiać o tym, co napisał. Poza tym muszę mieć trochę czasu na zastanowienie się nad odpowiedzią na pewne poważne pytanie, które mi zadał. A przede wszystkim muszę wymyślić sposób, w jaki mu odpowiem.

Wyraźnie było widać, że wszyscy zaakceptowali moje postanowienie. Nikt nie marudził i nie zadręczał mnie pytaniami o to, co napisał ojciec. Jørgen nawet wstał od stołu i podszedł do mnie. Po kumplowsku poklepał mnie po ramieniu i powiedział: — To brzmi rozsądnie, Georg. Moim zdaniem masz rację, mówiąc, że trzeba to przetrawić.

— Poza tym zbliża się już północ — zauważyłem. — Chyba najwyższy czas, żebyśmy się trochę przespali.

Słyszałem, jak dojrzale i uroczyście się wyraziłem. Byłem teraz dorosły.

Tej nocy jednak nie zmrużyłem oka. W całym domu zapadła cisza, a ja jeszcze długo leżałem w łóżku i patrzyłem na biały krajobraz. Śnieg już dawno przestał padać.

W środku nocy się ubrałem. Włożyłem puchową kurtkę, czapkę, szalik i rękawiczki. Potem przez werandę wyszedłem na taras. Zgarnąłem śnieg z żelaznej ławki i usiadłem. Pogasiłem zewnętrzne światła.

Patrzyłem w roziskrzone gwiazdami niebo i usiłowałem przywołać nastrój tamtej nocy, gdy siedziałem na kolanach ojca. Miałem wrażenie, że pamiętam, jak mocno tulił mnie do siebie. Chyba wydawało mi się wtedy, że robi to, by mnie ustrzec przed wypadnięciem z pojazdu kosmicznego. A potem nagle ten potężny mężczyzna o tubalnym głosie zaczął płakać.

Usiłowałem zastanowić się nad tym poważnym pytaniem, które mi zadał. Nie zdołałem jednak zdecydować, co mam odpowiedzieć.

Po raz pierwszy w życiu naprawdę zdałem sobie sprawę z tego, że ja również kiedyś rozstanę się z tym światem i opuszczę wszystko. To była okropna myśl. Nieznośna. I to ojciec otworzył mi oczy na tę prawdę. To akurat nie wydawało mi się okropne. Dobrze było wiedzieć, do czego mam się ustosunkować. To trochę tak jak świadomość, ile pieniędzy ma się w banku. Poza tym wspaniała była myśl, że mam dopiero piętnaście lat.

A jednak: być może mimo wszystko lepiej by się stało, gdybym się nigdy nie urodził, bo już mi było strasznie smutno, że kiedyś będę musiał stąd odejść. Postanowiłem jednak postąpić tak, jak ojciec napisał w liście. Zdecydowałem, że poświęcę dużo czasu na znalezienie odpowiedzi na to trudne pytanie.

Odchyliłem głowę i patrzyłem na gwiazdy i planety. Próbowałem sobie wyobrazić siebie w statku kosmicznym. Wiele razy zauważyłem spadające gwiazdy. Długo tak siedziałem.

Po pewnym czasie usłyszałem, że gdzieś trzasnęły drzwi. Potem na taras wyszła mama. Ledwie zaczynało świtać.

— Siedzisz tutaj? — spytała.

— Nie mogłem zasnąć — odparłem po prostu.

— Ja też — przyznała.

Popatrzyłem na nią i powiedziałem: — Ubierz się w coś ciepłego i posiedź tu razem ze mną, mamo.

Wkrótce wróciła. Włożyła czarny zimowy płaszcz, który miała, odkąd pamiętałem. Całkowitej pewności, że to ten sam płaszcz, w który ubrana była wtedy w katedrze, mimo wszystko mieć nie mogłem. Ale kiedy usiadła na ławce, stwierdziłem:

— Teraz brakuje ci tylko srebrnej spinki we włosach.

Aż nakryła ręką usta, a potem spytała: — Pisał o niej?

Odpowiedziałem na to pytanie, wskazując dużą planetę, która akurat zaczęła się podnosić na niebie po wschodniej stronie. Byłem pewien, że to planeta, ponieważ nie migotała tak jak inne gwiazdy, na dziewięćdziesiąt procent miałem pewność, że to Wenus.

— Widzisz tę planetę? To Wenus, zwana także Gwiazdą Poranną. Za każdym razem, gdy ojciec na nią patrzył, myślał o tobie.

Kiedy głowę wypełniają wielkie myśli, można powiedzieć kilka słów albo zachować milczenie. Mama milczała.

Po pewnym czasie powiedziałem: — W tym miejscu siedziałem z ojcem przez całą noc, tuż przed jego pójściem do szpitala. Możesz o tym przeczytać w liście. A teraz my tutaj siedzimy.

— Georg — odezwała się mama. — Cieszę się, że przeczytam ten list, a jednocześnie się tego boję. Chciałabym, żebyś był w domu, gdy będę go czytać. Możesz mi to obiecać?

Uścisnąłem jej rękę. Uznałem, że moja obecność w takiej chwili rzeczywiście może być dla mamy ważna. Niedobrze by się stało, gdyby to Jørgen musiał pocieszać Dziewczynę z Pomarańczami podczas lektury długiego listu od Jana Olava. Ale Jørgenowi także będzie wolno przeczytać list od mego ojca. Nie wykręci się od wszystkiego tak łatwo.

— Właśnie tamtej nocy, kiedy tu siedzieliśmy, ojciec powiedział mi, że nas opuści.

Odwróciła się do mnie gwałtownie i powiedziała: — Posłuchaj, Georg... Nie wiem, czy mam dość siły, żeby dłużej o tym teraz rozmawiać. Wydaje mi się, że powinieneś to uszanować. Nie rozumiesz, że rozdrapujesz także stare rany? Nie rozumiesz tego?

Była prawie zła. A właściwie wcale nie prawie.

— Owszem — odparłem. — Rozumiem.

Przez jakiś czas siedzieliśmy, niewiele się do siebie odzywając. Trwało to może godzinę. Mama mi naprawdę zaimponowała. Zawsze się skarżyła, że taki z niej zmarzluch.

Za każdym razem, gdy zauważyłem coś nowego na niebie, pokazywałem jej to, ale wkrótce gwiazdy zaczęły blednąć, aż w końcu całkiem zniknęły i zrobiło się widno.

Zanim się rozstaliśmy, wskazałem jeszcze raz na niebo i powiedziałem: — Gdzieś tam wysoko unosi się wielkie oko. Waży ponad jedenaście ton, jest wielkości lokomotywy, a porusza się za pomocą dwóch rozpostartych skrzydeł.

Zorientowałem się, że mama się wystraszyła, bo zupełnie nie wiedziała, o czym mówię.

Wcale nie chciałem jej straszyć, nie zamierzałem też opowiadać historii o duchach. Dlatego, żeby ją uspokoić, czym prędzej dodałem: — Teleskop Hubble'a. To Oko Wszechświata.

Uśmiechnęła się typowym mamusiowatym uśmiechem, a potem wyciągnęła rękę i próbowała pogładzić mnie po włosach. Udało mi się jednak uchylić. Wciąż uważała mnie za dziecko. Może sądziła, że myślę o swojej pracy?

— Kiedyś musimy się dowiedzieć, czym to wszystko naprawdę jest — oświadczyłem.

Tego dnia pozwolono mi nie iść do szkoły. Zdaniem babci wystarczyło powiedzieć nauczycielowi całą prawdę. Powinienem po prostu wyjaśnić, że dostałem list od ojca, zmarłego przed jedenastoma laty. Dodała, że w takich sytuacjach przydaje się złapanie dłuższego oddechu.

W takich sytuacjach, powtórzyłem w myślach. Nie uważałem otrzymywania listów od zmarłych rodziców za zwyczajną sytuację.

Babcia i dziadek musieli wracać do Tønsberg, nie przeczytawszy listu od ojca. Obiecałem, że dostaną go najpóźniej za tydzień. Babcia trochę się krzywiła, że będzie musiała czekać tak długo. Przecież to ona znalazła list, to ona postanowiła przyjechać do Oslo. Ale dziadek przypomniał jej, co powiedział Jørgen.

Jørgen musiał tego dnia iść wcześnie rano do pracy, ledwie go widziałem, ale mama i ja zostaliśmy w domu. W południe zasnąłem na żółtej kanapie, bo przez całą noc nie zmrużyłem oka. Kiedy się obudziłem, zaczęła się ciężka harówka na strychu.

Poprosiłem mamę, żeby wyciągnęła wszystkie swoje stare obrazy z Sewilli. Na szczęście żadnego z nich nie wyrzuciła, chociaż znów nie omieszkała zauważyć, że „z nich wyrosła". Powiedziała to akurat w chwili, gdy przesuwała stary portret mojego ojca, ten malowany z pamięci. Żadne z nas nie skomentowało tego obrazu, ale kiedy go zobaczyłem, drgnąłem przestraszony. Tak roziskrzonego niebieskiego spojrzenia nie widziałem nigdy na żadnym obrazie. Pomyślałem sobie, że w tej niebieskiej farbie musi być dużo kobaltu. Stwierdziłem też w duchu, że te oczy widziały coś, czego nie widział żaden inny człowiek.

— Ale z taty nie wyrosłaś — powiedziałem. Nie było to pytanie, zabrzmiało raczej jak rozkaz.

Namówiłem ją na powieszenie tego starego obrazu, przedstawiającego drzewka pomarańczowe, który przedtem wisiał w przedpokoju. Zdjęliśmy inny obraz i powiesiliśmy ten stary dokładnie w tym samym miejscu, w którym wisiał, gdy siadywał tutaj ojciec i pisał na swoim komputerze. Właśnie w tamtym czasie musiał ostrożnie stąpać po podłodze, żeby nie potknąć się o tory kolejki BRIO. To było w innym czasie niż ten, który jest teraz.

Uznałem, że obraz z drzewkami pomarańczowymi został umiejscowiony wprost idealnie, przyjemnie też było na niego patrzeć. Doszedłem do wniosku, że Jørgen po prostu musi pogodzić się z tą drobną zmianą. Powiedziałem to głośno.

Kolejkę BRIO znaleźliśmy w wielkim kartonie na strychu. Odszukaliśmy też stary komputer. Zniosłem go do przedpokoju, wetknąłem wtyczki od monitora i komputera do kontaktu i spróbowałem otworzyć edytor tekstu. To stary pecet z programem DOS, a edytor tekstu nazywa się Word Perfect. Ojciec jednego z chłopaków z mojej klasy wciąż posługuje się takim zabytkiem, więc wielokrotnie widziałem, jak startuje.

Chciałem uzyskać dostęp do dokumentów napisanych przez ojca, ale program zażądał podania kodu, maksymalnie ośmioliterowego. Właśnie tego kodu wtedy, jedenaście lat temu, nikt nie zdołał złamać.

Kiedy zmagałem się z komputerem, mama zaglądała mi przez ramię. Powiedziała, że próbowali wielu różnych słów i wielu kombinacji cyfr także, na przykład dat urodzin, numerów rejestracyjnych samochodów i osobistych numerów ewidencyjnych.

Ogarnęło mnie podejrzenie, że chyba zabrakło im fantazji. Wstukałem następujące osiem liter: P–O–M–A–R–A–N–C. W komputerze rozległo się „pling" i ukazała się lista tak zwanych *directories* na twardym dysku.

Stwierdzenie, że zaimponowałem mamie, byłoby za słabe. Złapała się za głowę i mało nie zemdlała.

W starych komputerach „dir" odpowiada temu, co w nowoczesnych maszynach nosi nazwę „folder". Również one musiały mieć maksymalnie ośmioliterowe nazwy. Jeden z założonych przez ojca nazywał się „veronika". Użyłem klawiszy ze strzałkami, najechałem na niego i wcisnąłem ENTER. W starych pecetach nie było myszy. Teraz pojawił się tylko jeden dokument, o nazwie *georg. lis*. Znów wcisnąłem ENTER. I pstryk: Miałem przed oczami dokładnie ten sam tekst, który poprzedniego wieczoru czytałem w swoim pokoju: *Siedzisz wygodnie, Georg? Ważne, byś miał przynajmniej o co się oprzeć, bo opowiem Ci teraz niezwykle emocjonującą historię...* Wcisnąłem HOME,

HOME i strzałkę w dół, żeby przejrzeć cały dokument. Trwało to całą wieczność, z pewnością dziesięć sekund. Ale tak, ostatnie zdanie w dokumencie brzmiało: *Ale marzenie o czymś nieprawdopodobnym ma własną nazwę. Nazywamy je nadzieją.*

Najgenialniejsza w dotarciu do listu ojca na starym komputerze była rzecz następująca: gdy postanowiłem napisać tę książkę razem z nim, miałem już wizję mozolnej pracy redakcyjnej z nożyczkami i klejem. Teraz cały projekt w jednej chwili stał się o wiele prostszy, niż przypuszczałem, bo mogłem po prostu wejść w ten stary dokument i dopisywać swoje uwagi w dowolnym miejscu — zarówno na początku, w środku, jak i na końcu tekstu ojca. Dzięki temu miałem rzeczywiście uczucie, że piszę książkę razem z nim.

Po dość długich manipulacjach udało mi się uruchomić także starą drukarkę. To tak zwana drukarka rozetkowa, urządzenie wprost niewiarygodne, obawiam się wręcz pojawienia się tutaj tajnych agentów z Muzeum Techniki, którzy zechcą ją ukraść. Hałasuje jak burza z piorunami i potrzebuje czterech minut na wydrukowanie jednej strony. Dzieje się tak dlatego, że malutki młoteczek musi wybić oddzielnie każdą literę, uderza przy tym w barwioną taśmę, z której barwnik przenosi się na papier. Jedenaście lat temu, kiedy umarł mój ojciec, ten sprzęt był nowoczesny!

Piszę teraz na starym komputerze. Właśnie teraz. Ostatnią rzeczą, jaką wstukałem, było: *Piszę teraz na starym komputerze. Właśnie teraz.*

Mama ma płytę z piosenką, która nazywa się *Unforgettable*. To zupełnie wyjątkowe nagranie, ponieważ Natalie Cole śpiewa w duecie ze swoim ojcem, słynnym Nat „King"

Cole'em. Komuś może to wcale nie zaimponować, ale rzecz w tym, że Natalie Cole zaśpiewała w duecie ze swoim ojcem blisko trzydzieści lat po jego śmierci. Pod względem technicznym nie było to wcale takie trudne. Wystarczyło, że nagrano, jak Natalie Cole śpiewa przy wtórze starego nagrania Nat „King" Cole'a sprzed czterdziestu lat. Można jednak powiedzieć, że nadała głosowi ojca nowe brzmienie.

Pod względem technicznym zaśpiewanie w duecie z człowiekiem nieżyjącym od blisko trzydziestu lat nie było więc wcale żadnym wielkim wyczynem. Raczej może należałoby mówić o wysiłku duchowym. Ale duet jest piękny. Jest *unforgettable*.

Nie ma sensu rozciągać tej historii. Pozostają jedynie dwie rzeczy. Jedna z nich to odpowiedź, którą muszę dać ojcu na to trudne, zadane przez niego pytanie. Ale jest coś jeszcze. Zajmę się najpierw tą drugą sprawą, bo postanowiłem, że odpowiedź na to poważne pytanie znajdzie się na samym końcu książki.

Po zakończeniu zmagań ze starymi obrazami i zabytkowym komputerem mama poszła do kuchni upiec słodkie bułeczki posypane kokosem. Wiedziała, że uważam je za najpyszniejsze na świecie i oczywiście właśnie dlatego upiekła je w tym szczególnym dniu. Ale Miriam również szaleje za nimi. Kiedy zapach pieczonego ciasta zaczął docierać do przedpokoju, poszedłem do kuchni. Pomyślałem, że może wybłagam gorącą bułeczkę. Chciałem też o coś spytać mamę. W opowieści o Dziewczynie z Pomarańczami był pewien niedokończony wątek. Mama jeszcze jej nie czytała.

— Kim był mężczyzna w białej toyocie? — spytałem.

Zadałem to pytanie jedynie dla żartu. Właściwie po to, żeby się z nią podrażnić. Wiedziałem w dodatku, że chodzi o jakiegoś dawnego chłopaka. Tak przynajmniej powiedziała ojcu.

Tymczasem mama dziwnie się zakłopotała. Najpierw obróciła się do mnie z niepewną miną, jak się to mówi, a potem usiadła przy kuchennym stole.

— O tym też napisał! — powiedziała.

— Wydaje mi się, że był trochę zazdrosny.

Ponieważ nie odezwała się więcej, zapytałem: — Nie możesz po prostu powiedzieć, kto siedział w tej białej toyocie?

Popatrzyła na mnie sztywno, z namysłem. Wyglądało to tak, jakby postanowiła przebić się przez stalową ścianę.

Ściszonym głosem odparła: — To był Jørgen.

Zakręciło mi się w głowie. — Jørgen?

Potaknęła. W głowie zakręciło mi się jeszcze mocniej. Chwyciłem torebkę z wiórkami kokosowymi i zacząłem rozsypywać je po podłodze. W końcu odwróciłem torebkę do góry nogami i wysypałem całą zawartość.

— Śnieg pada — oznajmiłem.

Mama dalej siedziała przy kuchennym stole. I tak było już za późno, żeby mnie powstrzymać. Spytała tylko: — Dlaczego to zrobiłeś?

— Bo jesteś szalona! — zawołałem głośno. — Miałaś dwóch chłopaków naraz!

Zaprzeczyła bardzo zdecydowanie. — Nieprawda. Odkąd spotkałam Jana Olava, był już tylko on.

Wciąż uważałem, że coś tu brzydko pachnie, i nie miałem na myśli bułeczek.

— A kiedy Jan Olav umarł, zaraz był tylko Jørgen?

— Nie — odparła. — Minęło kilka lat, zanim znów spotkałam Jørgena. Przez te lata byliśmy tylko we dwoje, ty i ja. Przecież wiesz. Ale kiedy znów spotkałam Jørgena, pokochałam go od nowa. Potrzebowaliśmy dużo czasu na decyzję, że będziemy razem, naprawdę dużo czasu.

Trochę mi się zrobiło żal tego przerośniętego pisklęcia. Wciąż miało niewyraźną minę. Mimo to powiedziałem: — Wobec tego można chyba zapytać, którego z tych dwóch panów Dziewczyna z Pomarańczami kochała bardziej?

— Nie — odparła krótko. — O to zapytać nie można.

Nie była zła, ale zdecydowana. Potem się rozpłakała.

Postanowiłem nie drążyć więcej tego tematu, bo czegoś się od ojca nauczyłem: nie miałem prawa wdzierać się w coś, co nie należy do mnie. Powinienem uważać, żeby nie zbliżać się zanadto do baśni, która nie dzieli się ze mną swoimi regułami.

Ale miałem również prawo do własnych myśli.

Nie podobało mi się to, co usłyszałem. Bo w ten sposób mężczyzna w białej toyocie i tak w końcu wygrał. Nie była to jego wina. Być może nie była to niczyja wina. Ale cieszyłem się, że mój ojciec nigdy się o tym nie dowiedział.

W końcu być może to, co się stało, było jego winą. Nie zdołał zastosować się do reguł. Nie umiał czekać na Dziewczynę z Pomarańczami przez pół roku. Dlatego już po kilku godzinach szczęścia zobaczył w rynsztoku martwego gołębia, w dodatku białego.

Zawsze już będę myślał o moim ojcu jak o białym gołębiu. Ale nie jestem pewien, czy wierzę w przeznaczenie. Ojciec chyba też w nie nie wierzył. Inaczej nie interesowałby się tak bardzo teleskopem Hubble'a.

Później tego dnia, po południu, jedliśmy razem z Jørgenem i Miriam bułeczki z polewą czekoladową. Dwie bułeczki były posypane cukrem pudrem. Daliśmy je Jørgenowi i Miriam. Uznaliśmy, że jesteśmy im to winni.

Od uczty bułeczkowej upłynęło już kilka dni, a ja wciąż siedzę pochylony nad starym komputerem. Muszę się zdecydować, co odpowiem na to trudne pytanie zadane przez ojca. Mam tak zwany „deadline", a wypada on jutro. Na razie nikomu jeszcze nie pozwoliłem przeczytać listu od ojca. Ale jutro babcia i dziadek przyjeżdżają na niedzielny obiad. Wtedy termin mija.

W ostatnich dniach nie myślałem prawie o niczym innym, niż o tym trudnym wyborze, którego muszę dokonać. Przeczytałem list cztery razy i za każdym razem powtarzałem w myślach: mój biedny, biedny ojciec. Naprawdę było mi go szczerze żal, że już go tu nie ma. Ale to, o czym pisał, dotyczy nie tylko jego. Dotyczy wszystkich ludzi na całym świecie, zarówno tych, którzy byli tu przed nami, tych którzy są tu teraz, jak i wszystkich, którzy przyjdą po nas.

Jesteśmy na świecie tylko ten jeden raz, pisał mój ojciec. W wielu miejscach powtarza, że pojawiamy się tutaj zaledwie na krótką chwilę. Nie jestem przekonany, czy odbieram to w taki sam sposób jak on. Osobiście jestem tutaj od piętnastu lat i wcale nie uważam tych lat za „krótką chwilę".

Mam jednak wrażenie, że rozumiem, o co chodziło ojcu. Życie wydaje się krótkie wszystkim tym, którym naprawdę udaje się pojąć, że cały świat pewnego dnia całkiem się skończy. Nie wszyscy ludzie to potrafią. Nie wszyscy posiadają zdolność zrozumienia, co w rzeczywistości oznacza zniknięcie na całą wieczność. W każdej godzinie, w każdej minucie zbyt wiele przeszkadza w uświadomieniu sobie tego.

Wyobraź sobie, że stoisz u progu tej wielkiej baśni, wiele miliardów lat temu, kiedy wszystko powstało — pisał mój ojciec. — *Możesz zdecydować, czy kiedyś urodzisz się i będziesz żyć na tej planecie. Nie wiesz, kiedy by to miało być, ani też jak długo będziesz mógł tu pozostać, lecz o więcej niż kilkudziesięciu latach i tak nie może być mowy. Wiesz jedynie, że jeśli zdecydujesz się przyjść kiedyś na ten świat, gdy nadejdzie na to pora czy, jak mówimy, gdy „czas się dopełni", to będziesz również musiał rozstać się kiedyś z nim i wszystko to opuścić.*

Wciąż nie potrafię się zdecydować. Ale zaczynam się zgadzać z ojcem. Być może podziękowałbym i w ogóle nie przyjąłbym całej propozycji. Ta krótka chwila, którą miałbym spędzić na świecie, byłaby zbyt mikroskopijna w porównaniu z całą wiecznością, z czasem, który minął, i który nadejdzie.

Gdybym wiedział, że coś jest wprost do szaleństwa pyszne, być może też bym odmówił spróbowania tego czegoś, jeśli kawałeczek, który wolno by mi było zjeść, ważyłby zaledwie jeden miligram.

Odziedziczyłem po ojcu głęboki żal, smutek, że kiedyś będę musiał rozstać się z tym światem. Nauczyłem się myśleć w *wieczory takie jak ten, że nie będzie mi już wolno żyć*. Odziedziczyłem jednak także bystrość spojrzenia, pozwalającą dostrzec, jak cudowne jest życie. Latem zamierzam przeprowadzić gruntowne badania nad trzmielami. (Mam stoper. Chyba możliwe jest dokładne zmierzenie prędkości lotu trzmiela. Trzmiela ponadto należy zważyć). Nie miałbym też nic przeciwko safari wśród afrykańskiej sawanny. Poza tym nauczyłem się patrzeć w niebo i zdumiewać wszystkim, co znajduje się w przestrzeni kosmicznej w odległości wielu miliardów lat świetlnych. Nauczyłem się tego, jeszcze zanim skończyłem cztery lata.

Ale nie potrafię zacząć od obszarów aż tak bardzo odległych. Muszę próbować od innej strony. Chyba powinienem dokonać tego wyboru na swój własny sposób.

Gdyby historia o Dziewczynie z Pomarańczami była filmem kinowym, a ja siedziałbym daleko w głębi sali i oglądał ów obraz ze świadomością, że nie przyszedłbym na ten świat, gdyby Jan Olav i Dziewczyna z Pomarańczami nigdy się nie odnaleźli, z całą pewnością kibicowałbym im z nadzieją, że się nie przeoczą. Siedziałbym z sercem w gardle. Denerwowałbym się, że jedno z nich może się okazać do tego stopnia fanatycznym ateistą, że nie pójdzie nawet na świąteczne nabożeństwo. Może zalałbym się gorzkimi łzami na widok Dziewczyny z Pomarańczami, pojawiającej się nagle na Plaza de la Alianza w towarzystwie Duńczyka! A kiedy Veronika i Jan Olav już by się ze sobą związali, drżałbym, śmiertelnie przerażony najmniejszą zapowiedzią kłótni. Dla mnie porządna awantura mogłaby przybrać wymiar iście kosmiczny.

Świat! Nigdy bym się tu nie znalazł. Nie byłbym świadkiem tego wielkiego misterium.

Wszechświat! Nigdy nie popatrzyłbym w rozgwieżdżone niebo.

Słońce! Nigdy nie dotknąłbym stopą nagrzanych skał w okolicy Tønsberg. Nigdy nie dowiedziałbym się, jakie to uczucie plusnąć do wody.

Teraz to rozumiem. W jednej chwili uświadamiam sobie zasięg tego wszystkiego. Dopiero teraz dotarło do mnie, co to znaczy nie istnieć. Czuję okropny ucisk w brzuchu. Ogarniają mnie mdłości. Ale czuję także złość.

Wściekam się na myśl o tym, że pewnego dnia zniknę, przepadnę, i to nie na tydzień czy dwa, nie na cztery czy czterysta lat, ale na całą wieczność.

Czuję się, jakbym padł ofiarą jakiegoś oszustwa, ponieważ oto najpierw ktoś przychodzi i mówi: — Proszę, masz cały świat do dyspozycji, możesz w nim baraszkować, jak chcesz. Masz tu swoją grzechotkę, kolejkę BRIO, szkołę, do której zaczniesz chodzić już tej jesieni. A w następnej chwili rozlega się rechot: Ha, ha, nieźle cię nabraliśmy! I cały świat zostaje mi odebrany.

Czuję się oszukany przez wszystko. Nie ma się czego złapać. Nic mnie nie uratuje.

Tracę nie tylko świat, tracę nie tylko wszystko i wszystkich, których kocham. Tracę też siebie.

Pstryk — i nie ma mnie!

Jestem zły. Jestem taki zły, że w każdej chwili mogę zwymiotować. Popatrzyłem bowiem w oczy diabłu. Ale nie pozwolę, żeby do niego należało ostatnie słowo. Odwracam się od Złego, zanim uda mu się zdobyć nade mną władzę. Wybieram życie. Wybieram ten maleńki skrawek Dobra, który jest mi dany. Być może istnieje również coś albo ktoś, kogo można nazwać Dobrym. Kto wie, czy nad tym wszystkim nie unosi się jakiś Bóg.

Wiem, że istnieje Zło, ponieważ słyszałem trzecią część sonaty „Księżycowej" Beethovena. Ale wiem, że istnieje także Dobro. Wiem, że pomiędzy tymi dwiema otchłaniami rośnie piękny kwiat, a z tego kwiatu podrywa się w powietrze kochający życie trzmiel.

Ha! Powiedziałem więc to. Na szczęście w tym rachunku istnieje również wesołe *allegretto*. Pomiędzy dwiema tragediami odgrywane jest zabawne przedstawienie teatrzyku lalkowego, a tego przedstawienia za nic nie chciałbym przegapić. Gotów jestem postawić wszystko na drugą część! Istnieje coś, co się nazywa apetytem na życie, a tych dwóch otchłani mimo wszystko nie będę przeżywał. One nie istnieją, nie ma ich, dla mnie ich nie ma. Istnieje jedynie śmiałe *allegretto*.

Jeszcze raz próbuję cofnąć się w czasie o kilka miliardów lat. To teraz mam zdecydować, czy wybiorę życie na Ziemi za kilkaset milionów lat, czy też z niego zrezygnuję, ponieważ nie akceptuję rządzących tu reguł. Jednakże wiem przynajmniej, kto będzie moimi rodzicami. Wiem, jak zaczęła się ta historia. Wiem coś o tym, kogo będę kochał.

Teraz nastąpi odpowiedź. Dokonam wreszcie tego uroczystego wyboru. Piszę więc:

> Kochany Tato! Dziękuję Ci za list. Wywołał wstrząs, bardzo mnie ucieszył, a zarazem zmartwił i zdenerwował. W końcu jednak podjąłem tę trudną decyzję. Jestem najzupełniej pewien, że wybrałbym życie na Ziemi, nawet jeśliby miało ono trwać zaledwie „krótką chwilę". Możesz więc nareszcie odpuścić sobie wszelkie podobne zmartwienia. Możesz, jak to się mówi, „odpoczywać w spokoju". Dziękuję Ci, że podjąłeś pościg za Dziewczyną z Pomarańczami!
>
> Mama w kuchni przygotowuje obiadokolację. Mówi, że to francuski zwyczaj. Jørgen wkrótce wróci z tego, co nazywa „sobotnią przebieżką", a Miriam śpi. Jest 17 listopada i do świąt Bożego Narodzenia zostało zaledwie pięć tygodni.
>
> Zadałeś mi kilka interesujących pytań na temat teleskopu Hubble'a, a prawdą jest, że całkiem niedawno napisałem potężną pracę o tym teleskopie!!!
>
> Zdradzę Ci teraz wielką tajemnicę: wydaje mi się, że już wiem, co dostanę na Gwiazdkę! To Jørgen sporo mi podpowiedział, a w każdym razie pokazał

kilka świetnych zdjęć w gazecie. Krótko mówiąc, przypuszczam, że dostanę teleskop! Jeśli to prawda, to aż trudno w nią uwierzyć, lecz również Jørgen czytał moją pracę, i to nawet dwa razy, chociaż nie jest moim rodzonym ojcem. Powiedział, że jest dumny. Wydaje mi się, że troszczy się o mnie tak samo jak o Miriam, a przynajmniej prawie tak samo, i szczerze mówiąc, wydaje mi się, że więcej nie można od niego wymagać. Cenię go prawie tak, jakby był moim prawdziwym ojcem.

Jeśli dostanę na Gwiazdkę teleskop, to zabiorę go ze sobą do Fjellstølen, bo tu, na nizinach jest za dużo „zanieczyszczenia optycznego", jak to określają astronomowie. Postanowiłem już, jak nazwę ten teleskop. To będzie teleskop Jana Olava! Jørgenowi z pewnością wyda się to trochę dziwne, lecz jeśli mamy pozostać w przyjaźni, będzie musiał po prostu moją decyzję zaakceptować.

Kiedy księżyc nie świeci, nad Fjellstølen jest tak gęsto od gwiazd, że można sobie zadać pytanie, do czego był tak potrzebny teleskop kosmiczny. Dobrze, dobrze, tato, nie jestem aż taki głupi, jak Ci się może wydawać. Wiem, że gwiazdy w kosmosie nie migoczą! Ale czasami leżenie na dnie basenu przez kilka sekund i patrzenie na jego brzeg może być bardzo interesujące. Coś i tak przecież wtedy widać i oczywiście można się domyślić, co się porusza ponad lustrem wody. W każdym razie na pewno będę się mógł przyjrzeć kraterom na Księżycu, księżycom Jowisza i pierścieniom wokół Saturna. A kiedyś w życiu będę się musiał postarać o dostanie się na pokład prawdziwego promu kosmicznego!

Serdeczne pozdrowienia od Georga, który wciąż mieszka w forcie na Humleveien i wie, że odziedziczył mocną krew.

PS. Po przeczytaniu tego długiego listu od Ciebie chyba wkrótce się odważę odezwać do dziewczyny ze skrzypcami. Może zdecyduję się na to już w poniedziałek. Teraz przynajmniej mam z nią do omówienia kilka ważnych spraw. Może ona pokaże mi swoje skrzypce.

Wołam mamę. Przychodzi. W chwili, gdy wklepuję to zdanie, daję jej jednocześnie list od ojca. Dostaje ten stary wydruk.

— Teraz możesz przeczytać list od mojego ojca — mówię.

Książkę, którą napisałem wspólnie z nim, będzie mogła przeczytać kiedy indziej. W każdym razie na pewno po świętach. I tylko wtedy, jeśli naprawdę dostanę na Gwiazdkę własny teleskop, bo przecież wplotłem już w to opowiadanie teleskop Jana Olava.

Trochę mi głupio, że ktoś będzie czytał o Dziewczynie ze Skrzypcami. Ale tylko trochę. Odrobinę też drżę na myśl o tym, że mama i Jørgen będą czytać o tym obściskiwaniu się w sypialni. Ale tylko odrobinę.

Mama wzięła list od ojca i zasiadła na żółtej skórzanej kanapie w salonie. Zapowiedziała, że chce choć troszeczkę przeczytać ukradkiem, zanim Jørgen wróci z sobotniej przebieżki. Obiecałem, że będę w pobliżu, i nawet trochę ją widzę przez otwarte drzwi. Od czasu do czasu także mamę słyszę, dociera do mnie, że popłakuje. Przyjmuję to za znak, że nie zapomniała całkiem o Janie Olavie.

A ja wciąż piszę. Mam bowiem również tak zwane PS. do Ciebie, czytelniku tej książki. To tylko mała podpowiedź:

Spytaj mamę albo ojca, jak się poznali. Może mają do opowiedzenia naprawdę ciekawą historię. Spytaj zresztą oboje, bo wcale nie jest pewne, czy przekażą Ci to samo.

Nie zdziw się, gdyby nagle odkryli przed Tobą swoje zawstydzenie. Wydaje mi się, że to zupełnie normalne. Te baśnie, o których mówimy, nigdy nie są identyczne, zacząłem jednak rozumieć, że we wszystkich baśniach obowiązują mniej lub bardziej ścisłe reguły, o których mówienie może być trudne. Może powinieneś uważać, żeby nie wnikać w nie zbyt brutalnie. Nie zawsze łatwo da się je opisać słowami. Poza tym istnieje coś, co nazywa się delikatnością.

Im więcej szczegółów ma taka historia, tym bardziej moim zdaniem jest ekscytująca, ponieważ możliwe, że gdyby tylko jeden drobiazg wyglądał odrobinę inaczej niż w rzeczywistości, Ty byś się w ogóle nie urodził! Gotów jestem się założyć, że istniało wiele tysięcy drobiazgów, których nawet leciutka odmiana doprowadziłaby do tego, że nie miałbyś żadnych szans przyjść na świat.

A zapożyczając mądre słowa od mego ojca, można powiedzieć tak: „Życie to gigantyczna loteria, w której widoczne są tylko wygrane losy".

Ty, który czytasz tę książkę, jesteś takim właśnie wygranym losem. *Lucky you*!